Inteligente®

*Manual de estrategias actuales
para una educación en el hogar
basada en valores*

Disciplina Inteligente®

Manual de estrategias actuales para una educación en el hogar basada en valores

POR VIDAL SCHMILL

Producciones Educación Aplicada S. de R. L. de

PRIMERA EDICIÓN, junio 2003
Cuarta Edición, febrero de 2004
DÉCIMACUARTA REIMPRESIÓN DE LA CUARTA EDICIÓN, junio de 2007

Diseño de portada: Vidal Schmill / Gabriel Martínez Meave
Diseño gráfico: Gabriel Martínez Meave / Kimera

ISBN: 968-5784-01-9

Impreso en Luminanza, S.A. de C.V.
Toluca, Estado de México.
IMPRESO EN MÉXICO.

A DAVID SCHMILL • A DANIELA SCHMILL

...quienes sacan a la luz lo mejor de mí
al intentar sacar a la luz lo mejor de ellos.

GRACIAS VERÓNICA:
*Por tu amor, por compartirlo todo, por enseñarme tantas cosas
en mi intento por aprender a ser mejor pareja.*

AGRADECIMIENTOS:
*Me parece muy difícil poder incluir en un agradecimiento todos
los elementos que se conjugan para que un libro pueda gestarse.
Las lecturas o fuentes que me han apasionado a lo largo de casi
veinte años de trabajo y estudio, las personas que han impactado
en mi vida para bien y para mal: mis amigos y enemigos,
mis protectores y detractores, mis amores y desamores,
mis familiares por su cercanía o por su lejanía,
mis terapeutas, mis asesores filosóficos,
la gente con la que trabajo y con los que he trabajado,
mis músicos favoritos, mis fotógrafos predilectos,
mis filósofos mas preciados...
Yo creo que hasta el buen café colombiano
que he bebido en dosis descomunales, tiene su crédito.
En fin, como no puedo mencionar a algunos sin omitir
involuntariamente a otros, pero a la vez son todos parte
de este trabajo, les doy las gracias por ayudarme
a proporcionarle significado a mi vida a través del servicio.
La vida vale la pena vivirse por sí misma, no por una sola cosa,
meta o persona, sino por todas ellas... Este libro es una de ellas...*

"...si yo fuera objeto, sería objetivo;
como soy sujeto, soy subjetivo"
—JOSÉ BERGAMÍN

Contenido

Sugerencias para utilizar mejor este libro

Bienvenido(a) a este libro, que está escrito pensando en todos aquellos padres de familia interesados en aprender cómo desempeñar
un buen papel, tanto por el bien de sus hijos como por el propio.

Con este libro pretendo facilitarle el camino a toda persona que bus-
que alivio o respuestas a sus problemas relacionados con el trato diario
de los hijos en aspectos relativos a la disciplina, los valores y las reglas
que permiten la convivencia cotidiana entre personas. Existen inconta-
bles publicaciones sobre el tema; sin embargo, espero que ésta aporte
algunos elementos novedosos, y sobre todo, enfoques prácticos.

Para empezar, pretendo que sea un libro de lectura fácil. Que lo
puedan consultar tanto personas que acostumbran leer como otras
que no tengan arraigado el hábito de la lectura o que hace mucho
tiempo no estudian. Su lenguaje es intencionalmente coloquial, es decir, de uso cotidiano. Cuando se utiliza algún tecnicismo, éste es "tra-
ducido" de inmediato a un lenguaje común y corriente.

Está redactado en segunda persona. Siempre me dirigiré a ti, no a
una tercera persona, no vagamente "a alguien", no "a una madre o a
un padre de familia" genérico sino a ti, directamente. Además, me he
tomado la libertad de hablarte de "tú" y no de usted, con el fin de que
percibas un acercamiento directo a tu persona, de que tú y yo nos
acerquemos.

El diseño gráfico está pensado para que puedas hacer una consulta ágil, bien diferenciada de conceptos. Además del texto incluído en
las páginas impares, en las páginas pares hay esquemas y frases útiles para la reflexión sobre los diversos temas tratados.

MODOS DE CONSULTA
Este libro puede ser consultado y utilizado de varios modos:
A) MODO LINEAL
B) MODO MANUAL DE CONSULTA
C) MODO MANUAL DE REFERENCIA RÁPIDA

A) MODO LINEAL

Significa seguir lineal y completamente la secuencia numérica de los capítulos, lo que te permitirá encontrar un ordenamiento útil para evitar "lagunas" dentro del proceso global aquí propuesto. Lectura de principio a fin.

B) MODO MANUAL DE CONSULTA

Significa no seguir la secuencia numérica de los capítulos. Puedes ir directamente a la parte que necesites y, de esa manera, obtener de inmediato la información deseada sin tener que leer partes que no sean de tu interés, por lo menos momentáneamente, lo cual te ayudará a disminuir más rápidamente posibles ansiedades, miedos o angustias respecto a ciertos temas que como madre o padre de familia te ves obligado(a) a enfrentar al educar a tus hijos. Es como si leyeras una revista con artículos sobre los temas de tu interés.

C) MODO MANUAL DE REFERENCIA RÁPIDA

Significa consultar las frases o esquemas que encontrarás en las páginas pares del libro (las del lado izquierdo), las cuales sirven para ilustrar o reforzar los conceptos desarrollados más ampliamente en las páginas impares (las del lado derecho). Son de consulta rápida, pues están diseñados con letra muy grande y para una lectura veloz. Puedes limitarte a hojear exclusivamente dichas páginas y aunque no leas el resto, encontrarás conceptos que pueden serte de mucha utilidad.

Para ayudarte a elegir el modo de consulta que más te convenga, a continuación describiré brevemente lo que contiene cada capítulo:

El **CAPÍTULO 0 • INTRODUCCIÓN** sirve para clarificar el enfoque general del libro y establecer su objetivo o propósito básico. Explica el "para qué" del libro. También incluye una propuesta de los objetivos generales que puedes plantearte al educar a tus hijos y algunos problemas que obstaculizan su logro, los cuales, por lo general, se derivan de las estructuras familiares, de tu forma de entender tu rol sexual en la sociedad actual y, en ocasiones, de tu codependencia hacia tus hijos.

El **CAPÍTULO I • ¿SOY UN BUEN PADRE O UNA BUENA MADRE?**, tiene la intención de ayudarte a ubicar tu desempeño hasta la fecha con respecto a la disciplina cotidiana que ejerces hacia tus hijos dentro de tu modelo familiar y, en consecuencia, la vigencia que tienes como padre ante los ojos de tus hijos. Será tu punto de partida para identificar el grado de necesidad de cambio y actualización que requieres como padre de familia, en una época de transición tecnológica, de transformación de las instituciones sociales y de entender los valores humanos, con hijos que actúan de maneras totalmente diferentes a las que te imaginabas o para las que estabas preparado(a). A manera de conclusión, se analiza el hecho de que muchos padres de familia inteligentes, pueden actuar de manera estúpida debido a la incapacidad emocional para cambiar estrategias o conductas no funcionales.

El CAPÍTULO 2 • CÓMO VENCER MIS ANSIEDADES/MIEDOS Y CULPAS COMO PADRE O MADRE, trata sobre estas emociones que se vuelven protagonistas e influyen en las actitudes y decisiones de muchos padres de familia y cómo ello les impide aprender, escuchar e intentar opciones diferentes. En este mismo capítulo, se incluye un CATÁLOGO DE ANSIEDADES Y MIEDOS, que recomiendo para los que elijan estudiar este libro en el Modo Manual de Consulta, pues enlista temas que a lo largo de más de veinte años de experiencia y observación de padres de familia y sus hijos, he podido detectar como los principales factores generadores de temores que impiden a los padres actuar con sentido común, incluso ante situaciones simples.

Otro de los enemigos de los padres de familia que se tratan en este capítulo es la culpabilidad. Por eso también se incluye un CATÁLOGO DE CULPAS, que pretende ofrecerte un enfoque diferente sobre temas disparadores de este sentimiento tan autodestructivo e inútil desde un punto de vista práctico. Finalmente incluí un análisis de ideas y conductas absurdas sobre el tema educativo, derivadas de programaciones emocionales destructivas y de malentendidos devastadores, que probablemente arrastras como herencia de sistemas educativos obsoletos o de experiencias personales dolorosas en tu infancia o juventud, y que corres el riesgo de repetir o "dramatizar" con tus hijos, de manera inconsciente o para justificar actitudes que ya no tienen cabida pero que insistes en utilizar debido a dicha programación emocional.

El **CAPÍTULO 3 • CÓMO EVITAR LOS EXTREMOS (AMAESTRAMIENTO–SOBRE-PROTECCIÓN)** es un capítulo que puede ayudarte a identificar el estilo disciplinario que has ejercido con tus hijos y modificarlo en caso de que lo consideres necesario, para que las estrategias disciplinarias que intentes aplicar funcionen adecuadamente. Se analizan las actitudes que eliges para enfrentar las conductas inaceptables de tus hijos.

A la altura de este capítulo, todavía no se plantean estrategias específicas del tipo "qué hacer" ante dichas conductas, sino estamos en el nivel para determinar el estilo general que has elegido y que ha generado una atmósfera específica que influye en el estilo de relación interpersonal en tu hogar, así como la posible necesidad de modificarlo.

Adicionalmente, se hace una introducción a formas generales de trato que fomenten el incremento del nivel de conciencia de tus hijos, y de cómo preparar o de ser necesario, reparar el "terreno", a fin de que las estrategias para la disciplina inteligente puedan funcionar.

El **CAPÍTULO 4 • CÓMO EDUCAR EN VALORES** aborda un tema indispensable para poder convivir en armonía con los demás. En esta parte del libro tendrás que hacer un alto en el camino y revisar a profundidad tu sistema de valores y creencias respecto a las reglas básicas con las que construyes tu "Contrato Social" para convivir en tu hogar y el mundo de personas que te rodea. Todo sistema disciplinario tiene como base una serie de valores prioritarios de los cuales derivan reglas de convivencia cotidiana. De otra forma, las pretendidas reglas se convierten en algo excesivo y absurdo, en proyecciones de tus miedos y obsesiones elevadas a rango de "valores". Podrás observar que mientras más claros estén los valores en tu hogar, menos reglamentación requerirás para convivir armónicamente. Se incluye además, una guía para la redacción simple y clara de reglas aplicables. Los ejercicios sugeridos en este capítulo son indispensables para poder aplicar una disciplina inteligente, tal como se plantea en el último capítulo del libro.

El **CAPÍTULO 5 • DISCIPLINA ESTÚPIDA** pretende poner el dedo en la llaga respecto al tema disciplinario: El sistema de premios y castigos lo comparo con el cáncer en la educación, el cual devalúa los actos que vale la pena realizar por sí mismos y fomenta la doble moral y la hipocresía de los hijos.

Comprenderás que los gritos, golpes y castigos son en realidad un recurso de rudeza innecesaria, pues con dicho "sistema" no producirás los resultados deseados, sólo perderás credibilidad y, sobre todo, minará el amor de tus hijos, y sin él, no cuentas con nada para poder educar.

El **CAPÍTULO 6 • DISCIPLINA INTELIGENTE** te ofrece alternativas tanto frente a las conductas aceptables como a las no aceptables que presenten tus hijos. Se te proponen formas inteligentes para sustituir los premios (puesto que tus hijos son personas y no mascotas) y eliminar los castigos, que envilecen tanto al receptor del castigo como al que lo ejerce.

Hay mejores modos de educar, basados en la observación y la aplicación de tus valores, la jerarquización de las conductas inaceptables y la derivación de consecuencias proporcionales a la gravedad de las faltas.

Se analizarán también alternativas de emergencia ante faltas realmente graves, así como ante comportamientos preocupantes que exceden las posibilidades de tratarlos mediante un sistema disciplinario aplicado por los padres y que requieren atención y asesoría profesional.

También se incluye un comentario sobre la aplicación de la disciplina inteligente en situaciones de crisis en la pareja. A pesar de que haya conflictos constantes en el hogar o incluso cuando hay separaciones y divorcios, los niños tienen derecho a conservar su estabilidad emocional y a un desarrollo como seres humanos responsables, lo que una disciplina inteligente les puede proporcionar.

Por último, se recomiendan algunas LECTURAS Y FUENTES ordenadas primero por tema y luego por orden alfabético de los autores, para que puedas ampliar o profundizar en aquellos temas de tu interés.

Capítulo 0
Introducción

"Los hombres no se perturban por las cosas que les suceden, sino por sus opiniones sobre las cosas que suceden."

—Epicteto

Capítulo 0
Introducción

0.1 • PRESENTACIÓN GENERAL

Disciplina Inteligente... ¿existe acaso la "Disciplina Estúpida"? Sí. Definitivamente.

A lo largo de este libro, pretendo mostrarte que en la educación de los hijos no toda la disciplina que ejerzas va a producir resultados constructivos.

Después de haber castigado a tu hijo por una conducta que consideraste indebida, ¿te has sentido culpable?

En alguna ocasión en la que cediste frente a tus hijos, ¿sentiste que te estaban viendo la cara de tonto(a)?

Seguramente si nos confrontamos con honestidad, todos los que ejercemos de padres, responderemos afirmativamente. Justamente lo que pretendo ayudarte a alcanzar es el punto medio.

Existen varios estilos disciplinarios y tú puedes modificar o enriquecer el que has utilizado para encontrar el tan anhelado punto medio.

Este libro está escrito con la intención de tranquilizarte, de disminuir tu nivel de ansiedad y angustia con respecto a tus hijos, cuando su conducta no está de acuerdo con tus ideas sobre cómo "deberían ser".

A lo largo de 20 años de impartir pláticas sobre educación infan-

"No creas en lo que has oído.
No creas en la tradición porque
provenga de muchas generaciones.
No creas en nada de lo que
se ha hablado muchas veces.
No creas en algo porque
haya sido escrito
por algún viejo sabio.
No creas en las conjeturas.
No creas en la autoridad,
en los maestros
o en los ancianos.
Cuando hayas observado
y analizado detenidamente una cosa,
que esté de acuerdo con la razón
y beneficie a uno y a todos,
entonces acéptala
y vive conforme a ella."

–Buda

til y adolescente en diversos colegios privados y públicos, he encontrado que el nivel de angustia y ansiedad de los padres de familia en general es lo que les impide escuchar las soluciones que se les están ofreciendo. Simplemente ya no pueden escuchar.

La angustia los ha rebasado e incluso hay casos en los que se enfocan en un solo incidente y se refieren a él incesantemente, como "disco rayado" y aunque uno trate de ofrecerles alguna alternativa, insisten en narrar angustiados el mismo incidente una y otra vez.

Este libro está escrito para que puedas acallar tu ansiedad... pero para ello debes escuchar. Necesitas dejar temporalmente a un lado las ideas preconcebidas sobre lo "que el niño debe hacer o no hacer" según tus creencias o las de toda tu parentela, y abrirte a escuchar otras alternativas.

Si después de escucharlas realmente, las pones en práctica y te funcionan, felicidades. Si algo no te convence, deséchalo. Pero hazlo después de probarlo, no lo descartes sólo porque no justifica tu ansiedad. Los grandes enemigos para educar a un hijo son la ansiedad y la angustia, las cuales provienen del miedo, te impiden razonar con claridad y ahuyentan a los niños de ti, pues tu propia tensión puede hacer que ellos te perciban como alguien desequilibrado, obsesionado con tonterías.

Temas tales como "la comida", "prestar sus juguetes", "pleitos entre hermanos", "tareas", "exceso de TV y video juegos" entre otros, angustian a los padres de familia de hijos en la etapa infantil, y otros temas como "la forma de vestir", "amigos indeseables", "novios o novias", "música pesada", "el cigarro o las fiestas" agobian a los padres de adolescentes.

Estoy consciente de que tus temores representan preocupaciones válidas; lo que no debes permitir es que se conviertan en asuntos obsesivos y recurrentes en tus conflictos con tus hijos. Debes disminuir tu ansiedad al respecto para que puedas encauzarlos adecuadamente.

Los padres influimos, pero no determinamos el futuro de nuestros hijos.

Primero hay que disminuir los niveles de ansiedad y miedo. Asímismo, debes disminuir tus niveles de culpabilidad.

Para que una madre o un padre puedan aprender sobre educación, estos son los primeros enemigos a vencer: la **ansiedad** y la **culpabilidad**. Si logramos disminuirlos y mantenerlos bajo control, entonces seremos capaces de escuchar para conocer, comprender y aplicar información. De otro modo, todo intento será sólo tiempo perdido, pues la ansiedad irrumpirá constantemente y la culpabilidad echará por tierra todas las buenas intenciones de cambio al enfrentarte a la realidad que has creado durante años.

He dedicado un espacio importante a cada uno de estos enemigos. Si estás muy ansioso(a) puedes remitirte a ellos de inmediato. Espero te ayuden, pero te recomiendo tengas el panorama general de todo el libro, pues ello te habilitará de mejores herramientas para disminuir dicha ansiedad o culpabilidad de manera consistente.

He observado también otra tendencia por asumir una gran carga moral porque en general los padres creen en la fantasía de que lo que hagan, o dejen de hacer, determinará el futuro feliz o infeliz de sus hijos. Es lo que llamo "madres o padres Pípilas", en alusión al personaje histórico que llevaba sobre su espalda una gran loza para evadir las balas del enemigo y quemar la puerta de una fortaleza durante la guerra de independencia de México. Hay madres de familia con una loza equivalente, por demás inútil.

No hay pruebas concluyentes de que lo que hagas como madre o padre, influya de tal manera en la vida de tus hijos.

Hay hijos que tienen una vida constructiva y plena a pesar de haber tenido unos padres pésimos y hay otros que, no obstante haber contado con padres involucrados en su educación, tienen un enfoque destructivo y enfermizo en sus vidas.

Existe una antigua división en la psicología académica:

Por un lado están los que creen que todo es heredado y, por el otro, los que defienden que la educación y todo lo que se adquiere

"El debate entre naturaleza
y educación puede que nunca
se llegue a resolver de manera concluyente,
pero está claro que la instrucción toca
melodías bastante elaboradas
con las cuerdas que le proporciona
la naturaleza."

"Pensamos que la verdad emerge mediante
la confrontación; aún así, las más de las veces
el resultado no es otro que la confusión.
Los enfrentamientos son buenos para
llamar la atención sobre determinadas ideas,
pero el mundo no es en blanco y negro."

–Lou Marinoff
"Más Platón y menos Prozac"

por medio de la experiencia, es lo que determina la personalidad de un ser humano.

Este es un viejo debate entre los estudiosos de la genética conductista y los estudiosos de la socialización. ¿Podremos considerar un punto medio entre estas dos posturas?

El genetista conductista afirma que todo está determinado por los genes y aporta, entre otras, pruebas de estudios de gemelos que viven en ambientes diferentes y que presentan similitudes sorprendentes.

El estudioso de la socialización sostiene que los padres son lo más importante en el entorno de los niños y que son ellos quienes determinan el modo como acaban "saliendo" los niños. Para ello, se basan en estudios de casos clínicos y mediante terapia rastrean el origen de los problemas de sus pacientes hasta la época infantil; época donde sus padres estaban fuertemente implicados.

En la lengua inglesa, hay un juego de palabras muy acertado al respecto: *nature and nurture* (naturaleza y crianza) el cual proviene de un educador británico llamado **Richard Mulcaster**, que aseveró "la naturaleza (*nature*) empuja al chico hacia adelante, la educación (*nurture*) lo ve progresar."

Tus hijos tomarán sus propias decisiones y tendrán sus propios aprendizajes, con o sin ti.

Si tú actúas de manera sensata y sin transmitirles una angustia permanente, podrán contar contigo para comunicarse mejor y, tal vez, conforme vayan creciendo los puedas ayudar a mejorar su propia toma de decisiones, pero hasta allí podrá llegar tu intervención.

Según los estudios de **Judith Rich Harris**, en su revolucionario libro *El Mito de la Educación*, "...los niños quieren ser como otros niños, no como sus padres. Sobre todo quieren ser como los niños que tienen mayor estatus en el grupo de compañeros, y éstos, normalmente, son mayores. Los pequeños miran hacia arriba a esos que van uno o dos años por delante de ellos, y lo hacen con admiración y envidia."

La solemnidad y la rigidez son características de la muerte; el sentido del humor y la flexibilidad, lo son de la vida...

"La equiparación entre madurez y estatus es lo que induce a los niños pequeños a querer comportarse, hablar y vestirse como los mayores. Los niños no se fijan en los adultos para obtener pautas de comportamiento, lenguaje o vestuario, porque los niños y los adultos pertenecen a diferentes categorías sociales, que tienen, a su vez, reglas diferentes. Desear un estatus más elevado –querer ser como un chico mayor– es algo inherente al grupo, a la categoría social "chicos". Los adultos son harina de otro costal. Para un chico, los adultos no son una versión superior de *nosotros*: los adultos son *ellos*".

"Los adultos tenemos un poder limitado sobre los adolescentes. Éstos crean sus propias culturas, que varían según el grupo de compañeros, y nosotros no podemos ni siquiera adivinar qué aspectos de la cultura de los adultos aceptarán y cuáles rechazarán, o cuáles serán las nuevas cosas que ellos aporten por sí mismos".

No obstante las anteriores aseveraciones, es un hecho que SÍ influimos. Una primera recomendación es: realiza tu trabajo de mamá o de papá con menos solemnidad y con mayor certeza y, sobre todo, con más sentido del humor. Al hacerlo así, además de gustarles más a tus hijos y de propiciar un mejor clima en la familia, tú te sentirás más contento y mejor dispuesto.

La solemnidad y la rigidez son características de la muerte; el sentido del humor y la flexibilidad lo son de la vida... Espero que este libro te ayude a educar más de acuerdo con la vida, con la tuya en primer lugar y luego con la de tus hijos.

0.2 • CAMPO DE APLICACIÓN Y OBJETIVO DEL LIBRO

Aunque la educación y la instrucción están vinculadas, es un hecho que existen personas muy instruidas pero con serias deficiencias en el ámbito social o incluso moral.

Estarás de acuerdo conmigo en que un destacado profesionista que golpea a su esposa, no está bien educado por mejor instruido que esté.

OBJETIVO DE LA
DISCIPLINA INTELIGENTE

Ofrecer a los padres de familia
respuestas a sus problemas
en el trato diario con sus hijos,
en aspectos relacionados
con la disciplina, los valores
y las reglas, de modo
que les permitan mejorar
la convivencia cotidiana
en su hogar y su desempeño
como padres, propiciando
que sus hijos puedan vivir
su propia vida de manera
autónoma y convertirse
en personas constructivas
para la sociedad en la que viven.

Asimismo, hay personas que manifiestan un alto nivel de socialización, moral y ética, y sin embargo carecen de instrucción académica o técnica.

Según **Fernando Savater**, oponer la educación a la instrucción es un enfoque riesgoso, sin embargo, al ser temas tan amplios, es necesario recurrir a esta subdivisión con el fin de abordarlos de manera clara y práctica.

División fundamental del acto educativo:

ASPECTO FORMATIVO	ASPECTO INFORMATIVO
· Desarrollo del nivel de conciencia. · Adquisición de valores, creencias, usos y costumbres culturales. · Desarrollo de la inteligencia emocional. · Desarrollo moral y ético para la toma de decisiones. · Desarrollo de habilidades de socialización, percepción, comunicación, creatividad e intuición.	· Desarrollo del nivel intelectual. · Adquisición de conocimientos y técnicas. · Desarrollo de la inteligencia lógica. · Desarrollo de habilidades para la solución de problemas prácticos. · Desarrollo de habilidades de análisis, síntesis, lógica.

El nivel de conciencia está relacionado con la capacidad para darse cuenta, para percibir, para vincularse socialmente.

El nivel intelectual tiene que ver con lo que se evalúa en las pruebas de inteligencia, las cuales por lo general abarcan aspectos de lógica –matemática, relaciones y ubicaciones espaciales o habilidades lingüísticas.

El campo de aplicación sobre el que se enfoca este libro es el relativo al **Aspecto Formativo**. El Aspecto Informativo requiere su propio espacio, por lo que a pesar de ser tan importante, en esta ocasión me limitaré a plantear alternativas exclusivamente en el otro aspecto: el formativo.

No sólo te preocupes
de que tus hijos tengan
buenas calificaciones;
ocúpate de que
sean mejores personas
para el entorno social
en el que viven.

Que construyan
y sirvan en su sociedad.

Revisaremos estrategias encaminadas a elevar el nivel de conciencia y la capacidad de socialización tanto tuyas como de tus hijos.

¿De qué le sirve a tu hija sacar 10 de calificación, si es una niña con indicios de crueldad?

Titularse con honores será todo un orgullo si quien se gradúa es un Ser Humano socialmente constructivo, y las altas calificaciones serán "la cereza del pastel", pero no el pastel mismo.

> **Puede haber alguien con un alto nivel intelectual y un bajo nivel de conciencia.**

El alto desempeño académico es algo válido en la medida en que esté apoyado en el desarrollo personal y social del individuo. Sin él, carece de sentido social y, por lo tanto, cubre apariencias, necesidades de reconocimiento y estatus.

Mediante un título puede simularse ser alguien educado, pero con ello no se obtiene la condición moral indispensable que define plenamente a un Ser Humano.

Estás educando al futuro padre o madre de tus nietos, a la futura pareja de otra persona.

Alcanzar la excelencia académica se vuelve un factor fundamental para su futuro profesional y económico, pero ni todo el dinero o el éxito profesional sustituirán el valor que tendrá el poder desenvolverse como una madre amorosa y sensata o como una pareja capaz de establecer una relación viva y nutritiva.

Sí, definitivamente la postura que te propongo adoptar frente a la educación es que los principios de universalidad, humanismo, socialización y ética estén por encima de la formación tecnológica, la cual debe ser orientada por ellos. Es oportuno recordar un título del célebre **A. S. Neill**: *"Corazones y No Sólo Cabezas en la Escuela".*

Por supuesto, también importa que alguien se gradúe del mejor tecnológico o universidad, siempre y cuando haya trabajado en su desarrollo como un ser humano sensible a los problemas del mun-

Te "graduarás"
como mamá o papá,
cuando tus hijos
no te necesiten
para tomar sus
propias decisiones
y sean capaces de vivir
constructivamente
su propia vida,
además de tener,
a través de sus
actividades cotidianas,
un enfoque de **servicio**
hacia la sociedad
en la que viven.

do que habita y no sólo con metas de consumo en su cabeza.

Durante alguna conferencia, un padre de familia me preguntó: *"¿cuándo se gradúa uno como padre?"* *"¿cómo sabes si lo hiciste bien o mal?"*. Después de escuchar diversas y sublimes respuestas como *"uno será padre toda la vida"*, *"uno nunca se gradúa como madre"*, mi opinión es que para evaluar el propio desempeño como padre, se debe responder afirmativamente, entre otras, la siguiente pregunta:

¿MIS HIJOS SON PERSONAS APTAS PARA VIVIR DE MANERA AUTÓNOMA Y CONSTRUCTIVA PARA ELLOS MISMOS Y PARA LOS QUE LE RODEAN?

Cuando seas capaz de responder afirmativamente, habrás "aprobado" la "materia" de ser madre o padre. Si tus hijos no te necesitan, no significa que no te aman, sino que pueden hacer su vida sin ti, y eso indica que son aptos para ejercer su autonomía y decidir su vida. Dos conceptos son básicos para lograr una educación exitosa de tus hijos: la aptitud para vivir su propia vida y el que sean capaces de vivirla de manera constructiva para la sociedad.

Recuerda que ser adulto, desde la perspectiva de la madurez emocional, significa tomar decisiones, asumiendo el riesgo y la responsabilidad de sus consecuencias. Desde pequeño se debe permitir al niño que ejerza cierto grado de autonomía en diversos aspectos de su vida (elegir cómo vestir, con quién jugar, compartir juguetes o no, etc.) conforme va creciendo, se debe ir ampliando dicha autonomía (horario para hacer tareas, forma de contribución y cooperación con la casa, decoración de su cuarto, por ejemplo) y así gradualmente hasta que, al convertirse en un joven adulto, alcance la madurez para ejercer una autonomía definitiva en su vida.

¿Cómo esperas que tu hijo(a) logre ejercer su autonomía y sea apto(a) para vivir su propia vida, si tú como madre o padre no le permites practicarla gradualmente?

Existe en México el problema de la **adolescencia prolongada**: en-

"Vete a crear
tu propio mundo...
si eres capaz."

"Para ello tendrás que
encadenar a tu niño interior,
aquel que teme invertir
y que todo el tiempo
está pidiendo que le den."

–Alejandro Jodorowsky
"La Danza de la Realidad"

cuentras a jóvenes mayores de veinticinco años viviendo con sus padres y con una total indefinición sobre lo que harán con sus vidas. Eternos adolescentes que iniciaron el proceso a los 12 años de edad y que continúan como tales aún entre los 25 y los 30 años.

Esto ocurre, con frecuencia, debido a que la madre o el padre no le permiten ejercer su autonomía, y dentro de nuestra estructura familiar tipo "muégano", en la que se propicia el estar todos muy juntos, con estrechos lazos de afecto pero también de resentimientos, los miembros de la familia se inmiscuyen en la vida privada unos de otros, generándose una dependencia hasta en las cosas más elementales, como prepararse de comer o cambiar el papel higiénico; más aún en cuanto a la elección de su pareja o en la educación de sus hijos. Esto se agrava cuando la hija se embaraza sin haberlo deseado (la doble moral y la falta de apertura honesta sobre el tema sexual siguen causando estragos).

Duele cuando los hijos se van, pero duele más cuando regresan, sobre todo si vienen acompañados de hijos.

Nuestra frase tan típica cuando un hijo contrae matrimonio: *"no pierdes una hija, ganas un hijo"* o *"no pierdes un hijo, ganas una hija"*, se vuelve aterradoramente real. Hay una gran cantidad de matrimonios jóvenes que, por razones ajenas a la estrechez económica, viven con los padres de alguno de los cónyuges, propiciando una injerencia enfermiza en los hábitos y estilos de vida de la nueva pareja.

¿Y dónde quedó la autonomía para vivir con aptitud la propia vida?

Hay que ir más allá de la autonomía y plantearse qué tan constructivo es tu hijo en la sociedad en la que vive. Considerar exclusivamente la autonomía como objetivo educativo es un enfoque limitado. Por ejemplo: un secuestrador o un narcotraficante puede ser autónomo, pero no es constructivo para la sociedad en la que vive; un ejecutivo puede ser autónomo pero llegar a ser a tal grado codicioso, que se vuelva destructivo o incluso peligroso para su entorno.

"*El valor que un hombre tiene hacia la comunidad, depende de qué tanto sus sentimientos, sus pensamientos y sus acciones se dirigen hacia la promoción del bienestar de sus congéneres.*"

—Albert Einstein

Por ello, además de su libertad o autonomía, otros valores entran en juego. Otras personas juegan en la misma cancha y deben ser consideradas en la solución. No es suficiente que le vaya bien a tu hijo, debe irle bien junto con la gente con la que convive.

Por lo pronto, te sugiero cambiar tu idea respecto a "que ser padre (madre) es algo que nunca se termina". Sí termina o, mejor dicho, evoluciona.

Biológica y afectivamente siempre serás su madre o su padre, pero llegará un momento en que ya no tendrás que educarlos. Tú vas a hacer lo que puedas hasta cierto límite; el resto será decisión de ellos.

Aunque tomen malas decisiones, decisiones que los hagan sufrir, tendrás que respetarlos. Tu papel podrá ser de apoyo, de asesoría, pero ya no estarás a cargo de ellos.

Por tu salud mental, no te hagas eso a ti mismo(a). No les "dones" tu propia vida a tus hijos... ellos se irán por el bien de ellos mismos y también por el tuyo.

Ten tu propia vida. Déjalos ir.

Capítulo 1
¿Soy un buen padre o una buena madre?

1.1 • *Padres de familia obsoletos o caducos*
1.2 • *¿Es eficaz tu disciplina?*
1.3 • *Definición #1 de estupidez*

La obsolescencia
es consecuencia
de no actualizarse;
la caducidad
es consecuencia
de quedarse
atorado
mentalmente
en el pasado.

Capítulo I
¿Soy un buen padre o una buena madre?

I.I • PADRES DE FAMILIA OBSOLETOS O CADUCOS

Algunos padres de familia utilizan el siguiente argumento para justificar su falta de actualización para educar a sus hijos: *"así como me educaron a mí, voy a educar a mis hijos... tal y como mis padres lo hicieron conmigo."* No puedes educar a tus hijos como lo hicieron tus padres contigo, pues tus padres te educaron para un mundo que ya no existe.

Otros simplemente se van al extremo contrario: si sus padres los maltrataron de alguna forma, se dedican a sobreproteger a los suyos y evitarles hasta el mínimo sufrimiento posible. Esta actitud es sólo una manera de reaccionar que deberían resolver en terapia personal y no proyectar sus temores sobre sus propios hijos.

Son tantos los cambios, y tan veloces, que al igual que con los equipos de cómputo actuales, corres el riesgo de volverte "obsoleto" si no te actualizas constantemente. La obsolescencia de la que hablo se traduce en que utilizas un discurso caduco, sermoneador, como el que utilizaban tus padres, perdiendo credibilidad ante tus hijos, pues no te consideran alguien con ideas actuales o prácticas.

No estoy poniendo en tela de juicio los valores que quieras enseñar-

"En cualquier educación,
por mala que sea,
hay los suficientes aspectos positivos
como para despertar
en quien la ha recibido,
el deseo de hacerlo mejor
con aquellos de los que luego
será responsable."

"La educación no es una fatalidad
irreversible y cualquiera puede
reponerse de lo malo
que haya sido la suya."

–Fernando Savater
"El Valor de Educar"

les, pongo en tela de juicio el método que utilizas para inculcárselos.

El gran problema que tenemos los padres actuales es que, no obstante ser nosotros una generación de transición, tenemos que educar a los hijos de acuerdo con criterios aplicables a un mundo que desconocemos. Somos responsables de educar a los hijos para un mundo que nosotros mismos no entendemos del todo.

Tus padres te educaron para un mundo más claramente definido; agradables o no, satisfactorias o no, las cosas, los roles estaban definidos desde la cuna hasta la tumba.

Los avances tecnológicos modifican las formas de trabajar, de producir. Esto trae como consecuencia cambios económicos, transformando todas las estructuras sociales: la pareja, la familia, la escuela, la iglesia, el estado, etc.

Nos sobrepasa el rumbo y el ritmo de vida que llevan nuestros hijos, los cuales tienen acceso a información y cuentan con recursos que nosotros ni soñábamos cuando teníamos su edad, por lo que la materia "escuela para padres" se vuelve prioritaria.

¿Te acuerdas del "control remoto" visual que tu mamá utilizaba para que te comportaras bien? Intenta utilizarlo con tu hijo y se te quedará mirando directamente y te dirá: *"¿qué te pasa? ¿por qué me miras así?".*

Antes, la obediencia era una gran virtud; es más, llegó a considerarse un valor que debía premiarse con alguna medalla en la escuela. Hoy, las empresas que contratan a los egresados de las escuelas, no necesitan gente obediente, sino gente que pueda tener iniciativa y creatividad para solucionar problemas y para adaptarse al cambio. La obediencia no es ya un atributo muy apreciado que digamos... y a quienes no contraten las empresas, tampoco van a generar sus propios negocios o a crear sus propios medios de subsistencia, siendo obedientes.

Todas las profesiones requieren actualización. Quien no se actualiza, pierde vigencia y se vuelve obsoleto; lo mismo sucede con los

Todo empieza en tu mente y se traduce en tu cuerpo

padres de familia. Seguirás dando órdenes, continuarás sermoneando, pero ¿influyes realmente en tus hijos? ¿no crees que si no te actualizas perderás claridad, perspectiva y vigencia ante lo que realmente les ocurre y necesitan?

Aclarado este punto, quiero hacerte ver que en ocasiones tú mismo(a) te pones una etiqueta de caducidad. Así como la de la leche o los productos indican hasta cuándo se conservan en buen estado, cuando tú mismo(a) dices cosas como *"en mis tiempos..."* *"cuando yo era joven..."* te estás autocaducando.

> **"Cuando se es joven, por debajo de nuestra alegría vital, se extiende una inmensa angustia"**
> *–Alejandro Jodorowsky*

Ten cuidado; tus tiempos son ahora, pues estás vivo(a); tu juventud no necesariamente fue tu mejor época.

No te pongas tú mismo(a) una etiqueta de caducidad, asumiendo que a partir de cierta edad ya no funcionas igual. Todo empieza en tu mente y se traduce en tu actitud, e incluso, en tu cuerpo.

Si es necesario, acude a un especialista que te ayude con tu depresión o con tu somatización (cuando tus problemas emocionales enferman tu cuerpo) pero no transmitas a tus hijos la idea de caducidad. De otra forma, tu propia profecía se hará realidad y no serás alguien realmente vivo para tus hijos... ni para ti mismo(a).

I.2 • ¿ES EFICAZ TU DISCIPLINA?

El simple hecho de que te hayas interesado en este libro, indica que puedes tener problemas con el tema disciplinario, aunque también puede ser que te haya atraído por simple curiosidad o para reforzar estrategias que te han funcionado bien.

¿Para qué cambiar si vas progresando bien por un rumbo determinado?

"EL NIÑO ES EL PADRE DEL HOMBRE"

–William Wordsworth

¿Qué tan eficaz es tu disciplina?

Antes de intentar encontrar una estrategia disciplinaria inteligente, aplicable a tus hijos, debes contestar verazmente las siguientes preguntas, teniendo en mente al hijo que te cuesta más trabajo educar:

1. *¿Tengo que repetir muchas veces una indicación para que mi hijo me haga caso?*
2. *¿Tengo que gritarle para que me obedezca?*
3. *¿Parece que mi hijo tiene más poder que yo?*
4. *¿Cedo demasiado?*
5. *¿Ya intenté "todo" y sigue haciendo lo indebido?*
6. *¿Mi hijo manifiesta una conducta inhibida o tímida?*
7. *¿Molesta mucho a los demás o incluso muestra indicios de crueldad con seres más débiles que él?*
8. *¿Estoy teniendo incluso problemas con mi pareja o con algunos familiares por la conducta de mi hijo?*
9. *¿Mi hijo miente mucho?*
10. *¿Me tiene miedo? ¿le tiene miedo a mi pareja?*
11. *¿Tengo que ayudarlo en cosas que se supone ya debería poder hacer solo?*
12. *¿Hace reiteradamente cosas que sabe me sacan de mis cabales?*
13. *¿Hace berrinches?*

Si tus respuestas son afirmativas en:
• 6 o más de las preguntas, entonces TE URGE CAMBIAR.
• 4 ó 5 de las preguntas, entonces TE ES NECESARIO CAMBIAR.
• 2 ó 3 de las preguntas, entonces TE ES RECOMENDABLE CAMBIAR.
• 1 de las preguntas, entonces VAS BIEN.
• 0 respuestas afirmativas, entonces VAS MUY BIEN...
   o no contestaste la verdad.

Además, es importante que ubiques el nivel de necesidad de cambio que requieres. ¿Para qué estudiar alternativas o estrategias

La mejor forma de proceder es la que le deja a uno libre de culpa y remordimientos.

—Proverbio chino

novedosas si consideras que no necesitas cambiar?

El aprendizaje es evaluado por medio de conductas observables, por medio de cambios en dichas conductas. Así que, una vez que apliques la disciplina inteligente,

> **Para aprender, es tan importante reconocer tus errores como reconocer cuando lo has hecho bien.**

podrás utilizar nuevamente este cuestionario, con el fin de evaluar tu avance.

1.3 • DEFINICIÓN #1 DE ESTUPIDEZ

El problema principal radica en que a pesar de que necesitas cambiar, te aferras a conductas no funcionales.

Si tus respuestas indican una necesidad de cambio, es mejor que empieces a trabajar en ello cuanto antes; de otra forma puede que caigas en la primera definición de estupidez:

**ACTUAR DE LA MISMA FORMA
Y ESPERAR QUE EL RESULTADO SEA DIFERENTE.**

Mucha gente inteligente comete estupideces al no modificar acciones que han probado su falta de resultados e insistir en actuar de la misma forma. Es más, en ocasiones utilizan su gran inteligencia lógica y capacidad argumentativa para defender estupideces emocionales. Recurren a argumentos lógicos para defender posiciones absurdas, frecuentemente originadas en problemas emocionales profundos e inconscientes.

Al hablar de conductas estúpidas, no me estoy refiriendo a gente estúpida. No se trata de acusar; se trata de reflexionar sobre la posibilidad de estar tercamente enfrascado(a) en una misma conducta, sin resultados, e insistir absurdamente en ella. Equivocarse no lo

ESTUPIDEZ
Definición 1

Actuar de la misma forma y esperar que el resultado sea diferente.

(Adaptación libre del concepto de "locura o insano juicio" de Narcóticos Anónimos)

convierte a uno en estúpido, lo estúpido es permanecer en el error.

Esta primera definición es una de mis favoritas para atacar la esperanza pasiva, basada sólo en los buenos deseos, pero sin ninguna acción responsable que modifique los resultados.

DISCIPLINA ESTÚPIDA: *Aferrarse a conductas, regaños o "estrategias" que no dan buenos resultados, enfrascándose en círculos viciosos de autoridad, sin intentar cambiar realmente.*

¿Cómo esperar mejores resultados si se continúa actuando igual que cuando no se han obtenido?

Si tus respuestas a las preguntas sobre la efectividad de tu disciplina fueron en su mayoría afirmativas, no puedes esperar algún milagro espontáneo que corrija la situación. Debes actuar de forma diferente para poder esperar un resultado también diferente.

¿Crees que esta definición pueda aplicarse a otras áreas de tu vida?... Supongamos la vida en pareja:

Si las cosas no están funcionando, te insultas con tu pareja, su vida sexual no es satisfactoria, se irritan mutuamente ¿por qué crees que súbitamente este año

> "El error es disculpable, mientras se cometa una sola vez y en una sincera búsqueda de conocimiento."
> –Alejandro Jodorowsky

nuevo las cosas van a mejorar sin hacer algo concreto al respecto? Si no acuden al terapeuta, al sexólogo, si no se imponen la tarea de comprometerse consigo mismos a no insultarse, la situación va a empeorar.

¿Demasiado obvio? Te sorprenderías del número de gente que opera sobre la base de una **esperanza pasiva**. Literalmente, se sientan a "esperar que algo pase" y mejore los resultados en diversas áreas de sus vidas.

*"No vemos
las cosas
tal como son,
las vemos
tal como somos."*

—Anaïs Nin

Partiendo de la definición de esperanza de **Erich Fromm** mencionada en su libro *"La Revolución de la Esperanza"*, podemos decir que existe una **esperanza activa**, la cual se fundamenta en la creencia de que vale la pena actuar para que algo suceda, puesto que el posible resultado es deseable y alcanzable.

> **Si actúas de la misma manera, tendrás resultados similares.**

Veamos otra posible área de aplicación de este concepto: Si tienes problemas de salud por tus malos hábitos de alimentación, diariamente comes tortas de tamal y te las pasas con atole, y luego crees que colocando agujas en tus oídos vas a curarte... no es que dude de la acupuntura, de lo que dudo es de las "soluciones" parciales, que carecen de un enfoque más global basado en la responsabilidad personal.

No le atribuyas factores mágicos o esotéricos a tu falta de responsabilidad para modificar lo que debes enfrentar; no es por tu incompatibilidad zodiacal que te peleas con tus hijos, es porque no modificas tu estilo de comunicación con ellos; no es porque tu hijo sea un "niño índigo" que tu hijo actúa como un patán con su abuelo, es porque no le has puesto un límite claro con respecto al trato con los demás.

Reconozco que el fenómeno de los niños índigo es algo muy interesante sobre el que nos falta estudiar y comprender mucho, pero cuidado con utilizarlo como pretexto para "explicar" conductas antisociales no manejadas y que podrían enfrentarse con una estrategia disciplinaria inteligente.

Si algo no ha funcionado en el pasado, no tiene por qué funcionar en el futuro. Recuerda la primera definición de estupidez y, en consecuencia, actúa de otra manera.

Capítulo 2
Cómo vencer mis ansiedades/miedos y culpas
como padre o madre

"El mejor antídoto para la preocupación es la acción"

—Wayne W. Dyer
"Tus zonas erróneas"

Capítulo 2
Cómo vencer mis ansiedades/miedos y culpas como padre o madre

2.I • HACIÉNDOTE CARGO DE TU ANSIEDAD/MIEDO

Como mencioné en la introducción, existen dos enemigos que impiden el aprendizaje para educar adecuadamente a los hijos: el binomio Ansiedad/Miedo y la Culpabilidad.

Si no los aprendes a manejar o por lo menos impides que te dominen, no tiene caso mostrarte nuevos enfoques, estrategias o técnicas pues estos enemigos te interrumpirán constantemente y no te permitirán escuchar, a la vez que te impedirán procesar nueva información, ya que exigen atención y "solución" inmediata.

Quien sufre de ansiedad, no puede comprender que educar es un proceso que lleva tiempo; mucho menos puede concebir respetar los ritmos específicos de desarrollo que cada uno de sus hijos requiere, los cuales por lo general son diferentes. La educación no es un recetario de soluciones inmediatas a temores de diversa índole, que te llevan a actuar de manera precipitada, ansiosa e, incluso, insoportable para tus hijos.

Vale la pena comentar que estos subcapítulos "Haciéndote Cargo de tu Ansiedad y Miedo" y "Haciéndote Cargo de tu Culpabilidad", puedes hojearlos rápidamente o de plano brincártelos, si no son aplicables

55

ANSIEDADES/MIEDOS

1. Consulta el **Catálogo de Ansiedades y Miedos** en el **Modo Manual de Consulta** (sólo busca los temas que se apliquen a tu caso).

2. Estudia el texto correspondiente.

3. Con un amigo(a) o con tu pareja, explícale a tu manera lo estudiado como si fuera tu punto de vista al respecto. Haz de cuenta que la persona con la que estás haciendo el ejercicio es alguien que tiene tus mismos temores sobre el tema que escogiste y ahora tú eres quien trata de convencerla, con los argumentos estudiados, para que modifique su punto de vista.

4. Platiquen luego sobre tu propia opinión y los sentimientos que te genera la situación.

5. Repite el procedimiento con todos los temas que te preocupen.

a tu circunstancia, para que pases directamente a los capítulos relacionados con las estrategias disciplinarias. Se incluyen como algo necesario para quienes padecen de dichas emociones, y se mencionan los aspectos que comúnmente las disparan. Insisto, si no es tu caso, valen la pena sólo como información general; si encuentras circunstancias similares, localiza y estudia con detalle las que son aplicables a tu caso.

En el crecimiento de los niños existe un desarrollo que te conviene conocer para poder identificar la fase por la que está pasando el tuyo a fin de que no le pidas que se conduzca fuera de un rango típico o normal para su edad.

Por ejemplo, si tu hijo tiene 2 años y no le gusta jugar mucho con otros niños, conocer las características de socialización de dicha etapa te ayudará a identificar que esa falta de vinculación de tu hijo con otros niños justamente es una etapa transitoria y no un rasgo antisocial de su personalidad y evitará que lo etiquetes absurdamente con sentencias del tipo "saliste tan arisco como tu padre".

Al final del libro, en la sección RECOMENDACIÓN DE LECTURAS INTERESANTES Y FUENTES CONSULTADAS, se incluyen algunos títulos sobre el proceso de desarrollo en el crecimiento de los niños y adolescentes que pueden ayudarte a disminuir tus preocupaciones.

A continuación te presento algunas de las conductas de los hijos que más comúnmente generan ansiedad en sus padres. Mientras no las enfrentes adecuadamente no lograrás progreso alguno, ya sea que tengas hijos pequeños o adolescentes. No están enlistadas en orden de importancia o recurrencia sino al azar; simplemente localiza la conducta que se aplique a tu caso, ve a la página indicada y lee el texto correspondiente. Probablemente eso te ayude a disminuir tu ansiedad al respecto. El catálogo contiene comentarios sobre cada tema, que ojalá te sirvan como "ansiolítico" para que puedas disminuir el miedo subyacente en cada caso y el identificarlo te ayude a abrirte al mundo de posibilidades que están frente a ti para mejorar tu desempeño como mamá o papá.

CAPÍTULO 2 • CÓMO VENCER MIS ANSIEDADES/MIEDOS Y CULPAS COMO PADRE O MADRE

CATÁLOGO DE ANSIEDADES / MIEDOS

Pág.

"No come" 1

Este es un tema que muchos padres de familia sufrieron en carne propia con sus respectivos padres; las mamás obligaban a los niños a no levantarse de la mesa hasta que se hubieran comido todo, aunque las albóndigas heladas, literalmente se cuajaran, y si no lo hacían pues se las servían para cenar o... se ideaban otras torturas.

La ansiedad y el miedo de que tu hijo "no coma bien" y padezca entonces trastornos de salud, por lo general no están bien fundamentados.

He observado con frecuencia, que niños con problemas de obesidad tienen padres ansiosos por rellenarlos de comida. También he observado a niños delgados, en un nivel de crecimiento promedio, cuyos padres consideran que están "muy flacos".

Si tienes este temor, te recomiendo lleves a tu hijo con el pediatra, lo revise a conciencia y te diga si padece alguna deficiencia alimentaria. Si no, por favor déjalo en paz. Hazle el favor y hazte a ti misma el favor de dejar de fastidiarlo con esta obsesión que puede ser muy peligrosa para su salud. Es menos peligroso que no coma, a que lo obligues a comer de más.

No puedes forzar los ritmos de cada organismo. Hay niños con horarios digestivos diferentes, que realmente no tienen hambre cuando todos comen. Déjalo comer a sus horas, sin que te conviertas en mesera las 24 horas, deja que él se sirva platillos de fácil preparación.

Distingue entre "la hora de sentarse a la mesa con todos" y "la hora de comer"; no necesariamente deben ser las mismas. Este caso es poco común pero llega a darse.

Por otro lado, revisa si se está atiborrando de comida chatarra a deshoras, con el fin de que normes y estructures su horario alimenticio. Eso está bien. La ansiedad sobre la comida, no.

2 "No hace la tarea"

Hay mamás que no pueden tener vida propia, no pueden ir a tomar un café o asistir a una conferencia "porque a sus hijos les dejaron mucha tarea". ¿Estás volviendo a hacer la primaria? La ansiedad se manifiesta aquí con una obsesión por "hacer la tarea con ellos" o porque "no cometan absolutamente ningún error" ; incluso se ponen a hacer la tarea por ellos.

La tarea es para tus hijos, no para ti. Debes comentar con la maestra este punto. Se le deben proporcionar herramientas y apoyo para que cuente con técnicas de estudio, organización y estructura para aprender, pero no debes hacer la tarea por ellos. A lo más que debes llegar es a enterarte de lo que debe hacer, pedirle que lo haga mientras tú estás "por ahí" y checar que lo haya completado, aclararle alguna duda o indicarle alguna corrección.

Otro aspecto que es oportuno mencionar es el de los horarios de las tareas. Algunos padres opinan que la mejor hora para hacer la tarea es inmediatamente "después de comer para que luego pueda salir a jugar". A algunos niños les puede funcionar, a otros no. ¿Tú te concentras bien después de comer? Yo no. Prueba diferentes horarios y observa en cuál se desempeña mejor.

Otra ansiedad al respecto es la cantidad de tarea: en algunos casos porque le dejan muy poca tarea y en otros porque le dejan demasiada. Si le dejan muy poca tarea ¿cuál es tu problema? ¿crees que no va a ser un gran profesionista debido a esto? Te aseguro que si lo llega a ser, no será debido a la dosis de tareas que le hayan dejado en primaria. Si por el contrario, crees que le dejan demasiada tarea, primero revisa si es realmente mucha o simplemente le falta organización y orden para hacerla. Si en realidad es demasiada (porque hay escuelas que se enorgullecen de ello) pues lamento decirte que debes cuestionarte seriamente la posibilidad de buscar otra escuela que vaya más de acuerdo con tus expectativas y filosofía educativa.

Mientras la haga, deja que realice su tarea de niño, la cual es crecer y aprender jugando... no importa si ya hizo su tarea o la hace al rato.

"Tiene malas calificaciones" 3

Recuerdo una anécdota que me ocurrió durante una visita que tuve la oportunidad de realizar a Bonn, Alemania, para conocer algunos aspectos de su sistema educativo: recorríamos una escuela primaria pública, el director técnico de la escuela nos mostraba las aulas, los niños desempeñaban algunas actividades y observé que los grados equivalentes a nuestro 2°. de primaria estaban aprendiendo algunos conceptos que los nuestros iniciaban en pre - primaria o en 1° de primaria. Cuando señalé dicho "atraso", el director técnico se me quedó mirando con sus fríos ojos color acero y me preguntó: ¿y qué prisa tienen allá?... estamos enseñándoles a vivir y a socializar, ¿le parece poca cosa? Guardé silencio. Agregó que ya tendrían tiempo para dedicarse a aprender cuestiones técnicas o de mayor exigencia, pues su prioridad en este nivel era la socialización. No quiero decir que allá todo sea mejor, evidentemente los alemanes han tenido problemas de socialización históricos, pero creo que sí tenemos mucho que aprenderles en cuanto a sus programas y logros educativos.

A lo largo de años de conducir pláticas con padres de familia, he realizado encuestas informales para conocer sus intereses y preocupaciones, y el tema que no deja de aparecer como preponderante para la mayoría de los padres de familia es: las calificaciones o su variante, el aprovechamiento escolar. No deja de sorprenderme esta prioridad, y aunque no intento minimizarla, opino que primero hay que formar para luego poder informar en terreno fértil.

En un mundo tan competitivo es indispensable tener calidad académica, por supuesto, pero eso no justifica la ansiedad/miedo e incluso la obsesión por el tema.

Hay padres de familia que entran en el "juego" de demostrar que su hijo es "el mejor de su clase" y compiten con otras familias para ver quién tiene al "mejor" hijo. Toma en cuenta que no necesariamente el que tuvo mejores calificaciones es a quien mejor le fue cuando se convirtió en adulto.

INTELIGENCIAS MÚLTIPLES
Basado en los trabajos de Howard Gardner

Inteligencia
lingüística/verbal

Inteligencia
lógico/matemática

Inteligencia
visual/espacial

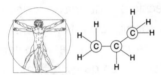
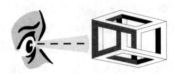

Inteligencia
corporal-cinestésica

Inteligencia
rítmica/musical

Inteligencia
interpersonal

Inteligencia
intrapersonal

Muchos niños padecen humillaciones y castigos que impactan en la imagen que tienen de sí mismos debido a sus bajas calificaciones.

Las calificaciones escolares evalúan lo que contienen los exámenes, y en ocasiones se combinan con la participación en clase y las tareas o trabajos, pero no evalúan la capacidad de relación, ni las diversas inteligencias (las cuales son múltiples, no sólo existen la inteligencia lógica-matemática o la lingüística, tradicionalmente evaluada en las pruebas de IQ).

Según **Howard Gardner**, investigador de Harvard y autor, entre muchos otros títulos, de los libros *"Estructuras de la Mente"* e *"Inteligencias Múltiples"*, plantea que el concepto de Cociente de Inteligencia no abarca todos los aspectos que un ser humano puede manifestar como parte de sus inteligencias.

No pretendo cambiar el tema de este libro extendiéndome demasiado al respecto, pero creo que es importante hacer un paréntesis y enfatizar este tema de la inteligencia, puesto que muchos padres creen erróneamente que las calificaciones y la inteligencia de sus hijos son totalmente coincidentes. No es así.

Gardner plantea que existen 7 inteligencias, no sólo una (la cual se mide en las pruebas de IQ y que asociamos con las calificaciones de los niños y jóvenes). Voy a citar un par de páginas de **Howard Gardner** para que la idea sea expresada por el autor de este concepto:

"**Las siete inteligencias originales.**"

"En el libro *"Estructuras de la Mente"* propuse la existencia de siete inteligencias separadas en el ser humano. Las dos primeras —lingüística y lógico-matemática— son las que normalmente se han valorado en la escuela tradicional."

"La **inteligencia lingüística** supone una sensibilidad especial hacia el lenguaje hablado y escrito, la capacidad para aprender idiomas y emplear el lenguaje para lograr determinados objetivos."

"Entre las personas que tienen una gran inteligencia lingüística se encuentran los abogados, los oradores, los escritores y los poetas."

"La **inteligencia lógico-matemática** supone la capacidad de analizar problemas de una manera lógica, de llevar a cabo operaciones matemáticas y de realizar investigaciones de una manera científica. Los matemáticos, los lógicos y los científicos emplean la inteligencia lógico-matemática (y, aunque Piaget decía que estudiaba toda la inteligencia, yo creo que, en realidad, se centraba en la inteligencia lógico-matemática). Sin duda, una combinación adecuada de inteligencia lingüística y lógico-matemática es una bendición para los estudiantes y para quienquiera que deba pasar pruebas con frecuencia. En realidad, el hecho de que la mayoría de los psicólogos y la mayor parte de los restantes académicos posean una combinación aceptable de inteligencia lingüística y lógica ha hecho casi inevitable que estas facultades predominen en las pruebas de inteligencia. Con frecuencia, me pregunto si se habría aislado un conjunto distinto de facultades en el caso de que los diseñadores de pruebas hubieran sido empresarios, políticos, artistas o militares."

"Las tres inteligencias siguientes destacan especialmente en las bellas artes, aunque cada una de ellas se puede emplear de muchas otras maneras."

"La **inteligencia musical** supone la capacidad de interpretar, componer y apreciar pautas musicales. En mi opinión, la inteligencia musical es prácticamente análoga, estructuralmente hablando, a la inteligencia lingüística y carece de sentido, tanto desde el punto de vista científico como lógico, llamar «inteligencia» a una de las dos (normalmente la lingüística) y llamar «talento» a la otra (normalmente la musical)."

"La **inteligencia corporal-cinestésica** supone la capacidad de emplear partes del propio cuerpo (como la mano o la boca) o su totalidad para resolver problemas o crear productos. Evidentemente, los bailarines, los actores y los deportistas destacan por su inteligencia corporal-cinestésica. Sin embargo, esta forma de inteligencia también es importante para los artesanos, los cirujanos, los científicos de laboratorio, los mecánicos y muchos otros profesionales de orientación técnica."

"La **inteligencia espacial** supone la capacidad de reconocer y manipular pautas en espacios grandes (como hacen, por ejemplo, los navegantes y los pilotos) y en espacios más reducidos (como hacen los escultores, los cirujanos, los jugadores de ajedrez, los artistas gráficos o los arquitectos)."

"La **inteligencia interpersonal** denota la capacidad de una persona para entender las intenciones, las motivaciones y los deseos ajenos y, en consecuencia, su capacidad para trabajar eficazmente con otras personas. Los vendedores, los educadores, los médicos, los líderes religiosos y políticos, y los actores, necesitan una gran inteligencia interpersonal."

"Por último, la **inteligencia intrapersonal** supone la capacidad de comprenderse uno mismo, de tener un modelo útil y eficaz de uno mismo –que incluya los propios deseos, miedos y capacidades- y de emplear esta información con eficacia en la regulación de la propia vida. En mi discusión inicial de la inteligencia intrapersonal, también destaqué sus orígenes en la vida emocional y su fuerte vínculo con factores efectivos. Sigo pensando que la vida emocional es un ingrediente fundamental de la inteligencia intrapersonal, pero ahora destaco más el papel esencial que desempeña esta inteligencia en las decisiones que toma una persona a lo largo de su vida."

"Éstas son, pues, las siete inteligencias que hemos puesto al descubierto y que hemos descrito en nuestra investigación. Se trata, como he dicho, de una lista preliminar; el aspecto importante, aquí, es insistir en la pluralidad del intelecto. Además, creemos que los individuos pueden diferir en los perfiles particulares de inteligencia con los que nacen, y, sobre todo, que difieren en los perfiles que acaban mostrando. Pienso en las inteligencias como potenciales biológicos en bruto, que únicamente pueden observarse en forma pura en individuos que son, en un sentido técnico, monstruos. En prácticamente todos los demás, las inteligencias trabajan juntas para resolver problemas, y para alcanzar diversos fines culturales: vocaciones, aficiones y similares."

"Ésta es mi teoría de las inteligencias múltiples en forma capsular. Desde mi punto de vista, el objetivo de la escuela debería ser el de desarrollar las inteligencias y ayudar a la gente a alcanzar los fines vocacionales y aficiones que se adecuen a su particular espectro de inteligencias. La gente que recibe apoyo en este sentido se siente, según mi opinión, más implicada y competente, y, por ende, más proclive a servir a la sociedad de forma constructiva."

"Estas opiniones y la crítica de una visión universalista de la mente de la que partía, me llevaron a la noción de una escuela centrada en el individuo, comprometida con el entendimiento óptimo y el desarrollo del perfil cognitivo de cada estudiante..."

Howard Gardner
"La Inteligencia Redefinida"

Así que las calificaciones importan, pero no tanto ¿verdad?

Tu hija puede tener un talento extraordinario para dibujar (inteligencia visual combinada con la corporal-cinestésica) y sin embargo lleva reprobando materias que tienen que ver con lógica-matemática, por lo que la imagen de sí misma está devaluada y opina que su habilidad no es tan importante, puesto que todo el tiempo se le enfatizan sus inhabilidades.

Tu hijo puede tener una habilidad extraordinaria para el manejo de equipos electrónicos y sistemas de cómputo (inteligencia lógica-matemática) y sin embargo lleva reprobando materias que tienen que ver con actividades corporales o tener serios problemas de socialización y relación interpersonal.

Hay que ayudarles a mejorar sus calificaciones para cumplir con los estándares de la escuela y la sociedad, pero hay que poner más énfasis en el desarrollo de sus habilidades, las cuales, te lo aseguro, no aparecen reflejadas en la boleta de calificaciones.

Si tiene problemas con sus calificaciones, ayúdalo, proporciónale técnicas de estudio, pero al mismo tiempo, déjalo de minimizar como persona debido a sus bajas evaluaciones, las cuales no son tan confiables como crees.

Tu ansiedad y tu miedo sobre su futuro sólo empeoran las cosas, deja que manifieste la inteligencia en la que tiene facilidad, aunque en ocasiones repruebe.

"No lee" 4

Este es un punto muy importante que hay que manejar con mucha anticipación a la adolescencia. No se trata de que el niño "entienda" lo importante que es la lectura y logre la representación en imágenes construidas por él mismo a partir del símbolo escrito, sino que el niño SIENTA, experimente el placer de la lectura, ya que leer no es un acto puramente intelectual, también lo es emocional y, en ocasiones, incluso espiritual. Por lo tanto, tu estrategia debe partir de que tu hijo asocie la lectura con momentos agradables, de contacto contigo y con él mismo. Para empezar, tú mismo(a) debes tener o desarrollar el placentero hábito de la lectura. Debe haber libros en tu casa, no sólo revistas o periódicos. Compra libros para la edad de tus hijos, ve a cualquier librería y busca en la sección infantil y encontrarás una enorme cantidad de opciones. Si puedes hacer esto con tus hijos desde pequeños, es mejor que ellos escojan lo que quieren leer. Al principio escogerán libros con muchas ilustraciones, está muy bien. Lo importante es que diariamente, o por lo menos tres veces a la semana, te acomodes con él en su cama o en un sillón y leas con él buenos libros. Al principio puedes leer sólo tú, luego haz que él te lea algunas hojas y tú otras. Comenta el libro. Haz esto como un ritual muy agradable, dale su tiempo y espacio propios. No permitas interrupciones. Poco a poco propicia que el niño asocie la lectura con momentos de intimidad, cercanía y reflexión; que asocie la lectura con momentos cálidos.

Si tienes más de un hijo, puedes optar por compartir el momento con todos, pero la diferencia de edades hará que haya diversidad de intereses en los temas, por lo que conviene que le dediques una noche para leer por separado a cada quien.

Si tu hijo ya es adolescente y sólo lee la caja de cereales, la estrategia es diferente: pon a su alcance, como por descuido, títulos que puedan ser de su interés: libros sobre educación sexual, biografías de algún músico actual que le guste. No lo fuerces a leer, que te vea leer y que tenga a la mano qué leer.

5 "Su cuarto es un desorden y no recoge sus juguetes"

Este es otro aspecto que también genera ansiedad y pleitos en muchos hogares.

Las reglas en el hogar deben ser muy claras y las consecuencias por no cumplirlas, también. Más adelante propondré alternativas efectivas para que esto no sea causa de pleitos diarios. Sin embargo, por el momento, sólo te pido que no sobrerreacciones ante el desorden de su cuarto o de sus pertenencias.

Pídele que las ordene, ayúdale a hacerlo (sin que tú seas quien lo hace sin su cooperación) y no entres en discusiones; simplemente ponlo a hacerlo junto contigo.

Si hay resistencia excesiva, dependiendo de tu disposición emocional del momento para hacerle frente o no, deberás insistir o por lo pronto dejarlo pasar.

No conviertas su desorden en tu obsesión. En ocasiones deberás insistir más en que ordene sus cosas, en otras lo ayudarás a hacerlo y en otras... simplemente déjalo en paz. Sólo asegúrate de que no rebase un límite que tú debes establecer. Estoy seguro que tú mismo(a) tienes algo de desorden en tus pertenencias, ya sean de la casa o de tu área de trabajo y no es para tanto ¿verdad? Bueno, tampoco su desorden lo es.

El orden ni siquiera es un valor, es un buen hábito que puede apoyar algún valor importante, como la responsabilidad, pero jamás lo conviertas en una obsesión.

En casa de un amigo leí un cuadro con un pensamiento que viene muy al caso: "Mi casa está lo suficientemente limpia para estar sano, y lo suficientemente sucia para ser feliz." Aunque habla de limpieza, creo que también es aplicable al orden; está bien tenerlo, pero tampoco se acaba el mundo si tienes un poco de desorden.

"Se resiste a irse a dormir" 6

Este puede ser un tema que genere las "batallas campales" más frecuentes en el hogar. Aquí también es importante reconocer que cada persona tiene ritmos corporales diferentes. No puedes tener sueño cuando te lo ordenan ¿verdad?

Conviene que cuando se acerque la hora en que consideras tu hijo debe irse a la cama, bajes el ritmo de sus actividades para que no esté sobreexcitado y pueda disminuir su aceleración poco a poco. Un buen baño, la pijama, la lectura de un buen cuento, la luz tenue, son actos que ayudarán. La ansiedad generará pleitos, pues recuerda que ésta exige obediencia o "soluciones" inmediatas. El sueño es un proceso que puede reforzarse con hábitos, y los hábitos se crean a lo largo del tiempo. Proporciónales una estructura, una rutina para dormir... pero si todo falla y tu hijo se encuentra brincando como loco en tu cama a las 11 p.m. y no se duerme, debes aprender a distinguir entre "la hora de dormir" y "la hora de acostarse".

Aprende a distinguir entre la hora de irse a la cama y la hora de dormir.

La hora de irse a la cama es cuando el horario familiar establece que la actividad debe acabar para que la mayoría pueda dormir.

La hora de dormir es cuando él tenga sueño, no cuando tú lo tengas. La hora de acostarse es el horario que estableces en tu hogar para terminar el día; bajas el ritmo de actividades de la casa, supervisas o efectúas con tu hijo la rutina para irse a la cama y le exiges que se acueste aunque no se duerma. Permítele llevar algún juguete a la cama siempre y cuando su juego no interfiera con el sueño de los demás. Puede tener una lamparita que no deslumbre a otros, pero que quede terminantemente prohibido interrumpir o estorbar el sueño ajeno.

Si él no respeta esto, entonces tendrá que asumir una consecuencia dentro del sistema que te enseñaré más adelante, pero primero disminuye tu ansiedad y no te enganches o enfrasques en pleitos diarios.

7 "No quiere dormirse en su cama"

Soy promotor de una campaña con el slogan:

¡Dí NO a los hijos en tu cama!

Tienes derecho a tu intimidad, tus hijos tienen que aprender a respetarla. Hay padres de familia que fomentan que sus hijos duerman en sus camas y luego ya no saben cómo manejar la situación cuando se les sale de control.

Hay niños que de plano no se duermen si no concilian el sueño en la cama de sus padres y pueden llegar a extremos de quedarse en el pasillo llorando durante horas si los padres les cierran la puerta, hasta que acaban por ceder, pidiéndoles de nuevo el acceso a su cama.

Lo que empezó como un acto de intimidad, cariño y cercanía se convierte en un fastidio permanente.

Acostúmbralo a que duerma en su propia cama, a pesar de su llanto.

Te sugiero que "lo invites" sólo ocasionalmente a dormir a tu cama (no más de una vez a la semana) como parte de un acto de intimidad y cariño, pero debe ser una invitación muy especial y muy dosificada.

Conocí a un papá que harto de no poder dormir en su cama sólo con su esposa, decidió hacerle pasar una noche muy incómoda a su hija; le puso el pie en la cara, la aplastó, la empujó, la orilló, hasta que la niña se fue a su cama muy indignada porque no la dejaban dormir a gusto. Pruébalo, quien quita y te funcione.

No cedas a su manipulación y llantos. Acostúmbralo a dormir en su propio espacio y que la convivencia de dormir juntos sea un momento especial y significativo, no una obligación fastidiosa.

"No quiere bañarse"   **8**

Recuerda que las etapas en el crecimiento de los niños son pasajeras, no creas que será una persona sucia y con malos hábitos higiénicos porque se niegue a bañarse diariamente.

Hay edades en las que realmente parece que el agua y el jabón son ácido y se resisten al baño como gatos. Afortunadamente, esta etapa corresponde a una edad donde el sudor no huele como en la adolescencia, pero la mugre y la tierra de todas maneras, estoy de acuerdo contigo, hay que lavarla.

El juego en el baño, los juguetes, el baño compartido en familia, son algunas estrategias funcionales.

Si se acumulan algunos días sin baño, puedes ponerte más "duro" y exigir que se metan al baño aunque lloren y no quieran hacerlo. La mayoría de los niños disfrutan ya estando bajo la ducha, el problema es que se les olvida dicha sensación al día siguiente.

Sólo trata de no exagerar tu exigencia, ni tus reacciones al respecto. No es para tanto, ya verás que cuando crezcan y quieran agradarle a una o un joven que les guste, se bañarán y se perfumarán.

También te sugiero que les muestres que tú te bañas a diario para que lo aprendan como parte de una rutina cotidiana.

Es muy importante que se familiaricen con el hábito de la higiene en el hogar para que forme parte integral de su estructura personal en el futuro. Que vean a sus padres bañarse a diario, así como lavarse los dientes tres veces al día, recortarse las uñas, cambiarse la ropa interior y exterior diariamente, oler bien, peinarse, entre otros hábitos cotidianos. Esto propiciará que ellos lo asuman cuando lo requieran.

9 "¿Es bueno que me vea desnudo(a)?"

¿Hasta cuándo hay que bañarse con los hijos?

"Yo me bañaba con Miguel Arturo normalmente, pero un día noté que se me quedaba mirando raro ¿ya no debo bañarme o vestirme delante de él?"

"Mi hija me tocó sorpresivamente el pene mientras nos bañábamos ¿qué debo hacer?"

He escuchado muchos cuestionamientos al respecto. La respuesta común a la pregunta de hasta cuándo permitir que nos vean desnudos o que la familia pueda verse mutuamente desnuda, es: **Hasta que los propios hijos lo permitan.**

Disminuye la ansiedad de creer que puedas estar despertando instintos incestuosos o desatando una curiosidad malsana. No es así.

Si tus hijos te han visto y se han visto entre ellos desnudos desde pequeñitos, no hay de qué preocuparse. El morbo nace de la prohibición, de hacer del cuerpo algo prohibido... y por lo tanto enfermizamente atractivo.

Si yo entrara a un salón de cursos con una llamativa caja forrada de terciopelo rojo, la colocara frente a todos los asistentes sobre una mesa, luego les prohibiera terminantemente que vieran su contenido "porque hay algo prohibido en ella" y posteriormente saliera del salón... estoy seguro que alguien se asomaría a ver su contenido. En cambio, si la hubiera llevado sin decir nada, es menos factible que alguien la abriera, al no haber generado curiosidad con la prohibición. El misterio, por lo prohibido, es tan atractivo para una persona como el azúcar para las moscas.

Si alguien desde pequeño ve a su hermana desnuda, es mucho menos probable que tenga una curiosidad enfermiza por conocer su cuerpo y espiarla. Si alguien conoce el cuerpo desnudo de toda su familia, pues llegan a bañarse juntos o coinciden mientras se visten, no habrá curiosidad malsana.

No estoy diciendo que seas exhibicionista y andes desnudo(a) por la casa; sólo que si te llegan a ver desnudo(a) no sobrerreacciones.

Si el niño te mira "raro" pregúntale sobre su curiosidad y aclárale sus dudas.

Si el niño te toca alguna parte de tu cuerpo, dile que prefieres que no lo haga porque es tuyo, sin mayores aspavientos.

¿Cuándo ser más cuidadosos o pudorosos? Cuando ellos mismos lo requieran. Los pequeños menores de 10 años normalmente no muestran mayor problema al respecto; como a los 11 empiezan a taparse o a evitar que los veas. Respétalos.

La joven de 11 ó 12 años, ya no le permitirá a su padre verla desnuda como si nada, pero dicha restricción surgirá de ella. Pasa algo similar con el joven que empieza a desarrollarse y le da pena que su mamá lo vea desnudo. Pero esto no significa que si casual o accidentalmente llegan a verse sin ropa, esto se convierta en una situación alarmante o impactante.

El cuerpo no es algo de lo cual avergonzarse. Es muy saludable conocerse mutuamente dentro de un entorno de respeto.

10 "Me hace preguntas sobre sexo"

Inevitablemente tu hijo preguntará al respecto. Debes aceptarlo como un hecho de la vida por el que tendrás que pasar y, por lo tanto, tendrás que prepararte para ello. La mayoría de los adultos no fuimos bien educados en materia sexual.

Una cultura que tradicionalmente plantea el sexo como pecado, no podrá fomentar la salud sexual de sus integrantes. Sin embargo, algo podrás hacer si te esfuerzas por reeducarte a ti mismo, empezando por "des-aprender" la gran cantidad de sandeces, mentiras y creencias absurdas surgidas de la tradicional ignorancia sobre el tema.

Alrededor de los 4 años de edad, como parte de un típico desarrollo infantil, se pasa por una etapa que se caracteriza por su insaciable curiosidad: *"¿por qué vuelan los aviones?"*, *"¿por qué el sol calienta?"* entre otras preguntas que requieren respuestas tanto técnico-científicas, como filosóficas: *"¿por qué existe el mundo?"* e inevitablemente llegarán las preguntas de carácter sexual: *"¿cómo nacen los niños?"*, *"mi papi ¿cómo puso la semillita dentro de ti?"*, *"¿qué es una violación?"*. Recuerda que los niños tienen acceso a mucha información, la cual les llega fragmentada y descontextualizada. Ellos necesitan respuestas simples, claras y verdaderas.

Para iniciarte en el arte de contestar preguntas infantiles, es necesario que empieces a preparar el terreno anticipadamente. ¿Cómo? Desde la etapa de desarrollo del lenguaje verbal (alrededor de los 2 años de edad) refiérete a las partes del cuerpo utilizando sus verdaderos nombres:

El ano se llama así, no se llama "pompitas", las cuales son los glúteos.

El pene se llama así, no se llama "pipí"; la "pipí" es la orina.

La vagina no se llama "colita"; los humanos no tenemos colita.

Los genitales deben designarse con nombres exactos, no apodos, ni mucho menos generalizaciones ambiguas como "ahí", *"lávate ahí"*. ¿Para qué te servirá el nombrar desde el principio correctamente las partes del cuerpo? Para que cuando tengas que aclarar su funcionamiento sexual, dispongas de un lenguaje con el cual puedas explicarlo, utilizando palabras específicas que el niño entienda.

No necesitas ser un especialista en educación sexual, aunque no estaría mal que tomaras algún curso o por lo menos pláticas sobre el tema. Que consultaras libros al respecto. Hay una gran cantidad de materiales muy bien elaborados: películas, libros tridimensionales y hasta juegos para explicarlo.

Es cuestión de que dejes de evadir el tema. Si tú contestas honestamente, pero sobre todo, utilizas un lenguaje accesible a la edad de tus hijos, ellos saciarán su curiosidad y el proceso seguirá su marcha sin mayores complicaciones.

Te recomiendo utilizar la **Técnica del ECO** para evitar el riesgo de irte al otro extremo: sobreinformar, informar de más. La Técnica del ECO significa hacer eco a lo que el niño pregunta para que clarifiques el alcance de sus preguntas:

Tu hija: *"mami ¿cómo nacen los niños?"*
Tú: *"¿cómo que cómo nacen?"* (ECO)
Tu hija: *"sí ¿con pelo o sin pelo?"*
Tú: *"pues algunos muy peludos y otros peloncitos, hay de todo".*
Tu hija: *"y yo ¿cómo nací?"*
Tú: *"bien peluda, pero luego se te fue cayendo".*

¿Te das cuenta de la cantidad de información innecesaria que pudiste haberle dado a tu hija por no clarificar el alcance de la pregunta? Tal vez te hubieras puesto a explicar "cómo nacen los niños" así: *"papi puso su semillita dentro de mí, porque nos amamos mucho, y luego tú fuiste creciendo en mi útero hasta que tuve que ir al hospital y me hicieron cesárea, porque la cefalopelvimetría indicaba que no ibas a pasar, entonces...."*

Estoy bromeando con respecto al lenguaje técnico excesivo, pero lo importante es que no te metas en problemas innecesarios.

Otro ejemplo:

Tu hijo: *"papi, ¿cómo se cruzan los perros?"*
Tú: *"¿cómo se cruzan?" (ECO)*
Tu hijo: *"sí, acabo de ver un perrito y no puede cruzar la calle ¿se suben al puente o sólo corren?"*
Tú: *"pues algunos muy inteligentes se suben a los puentes, otros se esperan a que atraviesen las personas y pasan junto con ellos. También otros que no tienen experiencia se cruzan corriendo y pueden ser atropellados."*

¿Qué tal si te hubieras puesto a explicar cómo se cruzan los perros para tener cachorritos? Por supuesto que cuando te pregunten por dicho proceso de reproducción debes contestar en qué consiste y saber explicarlo. El ECO te ayudará también a ganar tiempo para repensar tus respuestas adecuadamente.

Recuerda el chiste de la niña que le preguntó a su mamá el significado de pene. La mamá después de tomar agua, le dio una amplia explicación sobre el aparato genital masculino y habiendo terminado, le preguntó: *"¿para qué querías saber qué es pene?"*, la niña le contesta: *"en la escuela nos dijeron que rezáramos para que el alma de Juanito no pene"*.

Con los adolescentes la situación cambia; algunos preguntan abiertamente, la mayoría no. Si tienes hijos de edades diversas y un adolescente pregunta en la mesa algo que consideras que el niño más pequeño no tiene ni idea, ni curiosidad, ni necesidad de escuchar, entonces explícale al joven lo importante que es que pregunte, pero que lo haga en privado contigo. Eso no significa que no le contestes. Contéstale en privado.

Algunos jóvenes no te preguntan porque les da vergüenza pensar que los puedes juzgar y buscan respuestas en amigos de su edad, otros no lo hacen debido a que tienen el antecedente de que les mentiste o de que te escandalizas o incomodas cuando se toca el tema.

Si fuera el caso, deja libros o revistas especializadas "como olvidadas" por ahí para que puedan hojearlas sin que fuerces la comunicación sobre el particular.

Muchas escuelas de hoy complementan su formación con programas en Educación Sexual; apóyate en ello. Aprovecha ese beneficio. Asiste a las pláticas, infórmate, estudia. Actualízate para poder ser alguien confiable a quien consultar, y cuando la situación exceda tus conocimientos o posibilidades de abordar el asunto, es mejor reconocer que no sabes y puedes aprender buscando junto con tus hijos la respuesta.

No es necesario conocer de antemano todas las respuestas; es mejor saber dónde buscarlas.

11 "Juega con sus genitales y los de otros niños"

Tu hijo va a descubrir sus genitales; es obvio. Sin embargo, algunos padres se sorprenden y se inquietan mucho por eso.

No pretendo enseñar anatomía pero sí recordarte que la gran cantidad de terminaciones nerviosas en los genitales, los convierten en una zona de contacto muy atractiva, mucho más atractiva que cualquier otra zona del cuerpo.

Tus hijos van a descubrir que al tocar sus genitales experimentan sensaciones muy agradables y placenteras, sin que esto signifique que sean "precoces" o que tengan alguna fijación o algo extraño. Simplemente déjalos saciar su curiosidad, sin pegarles, darles manazos, decirles que *"¡eso no se hace!"*, ni llevándolos por eso al pediatra. Sólo déjalos en paz. Sé que esta recomendación para una madre ansiosa, será inaceptable, pero en este caso el problema está en ella, no en el niño. Si se toca a sí mismo delante de los parientes o en un ambiente inapropiado, simplemente atrae su atención hacia otra cosa, sin ansiedad, ni sustos. No lo distraigas cada vez, sólo cuando la situación pueda ser incómoda para otros. Estoy de acuerdo en el respeto a los demás, pero eso no hace que dicha exploración sea incorrecta o malsana.

En el caso de que descubras a tus hijos "jugando al doctor" con primitas(os), simplemente por el hecho de sorprenderlos te aseguro que el susto será suficiente para que no lo repitan. Si quieres, platica luego con tu hijo sobre el respeto a su cuerpo y al cuidado que debe tener en su forma de jugar. Escucha sus inquietudes si las tiene.

Si tu hijita te cuenta que "su novio" del jardín de niños la besó en la boca, no te queda más que aguantarte y escucharla sin sermonearla, pues de otra manera no te volverá a contar lo que hace.

Mientras más leve sea tu reacción, menos reforzarán esa conducta. Sólo enfatiza el respeto y cuidado que debe tener con su cuerpo en un lenguaje que pueda entender.

"¡Mi hijo(a) se masturba!" 12

El jugueteo genital infantil puede confundirse frecuentemente con la masturbación. No son lo mismo. Cuando un niño de 3 a 6 años juega con otro amigo o amiga desnudos "al doctor" o con sus propios genitales, se le llama jugueteo genital y es parte de su proceso de autoconocimiento y de curiosidad.

Lo único que hay que hacer es cuidar lo público o privado de dicho jugueteo pues se vive en una sociedad y debe existir el respeto a la intimidad, las creencias y las costumbres de otros. Habla con el niño al respecto y si su jugueteo es público, entonces dile claramente que hay cosas que se hacen en privado y otras no. Ésta es privada. Si el jugueteo fuera compulsivo, entonces vale la pena el consejo de un especialista.

La masturbación es otro asunto. Su práctica se presenta a partir de la adolescencia, y es normal que ocurra en ambos sexos, no sólo en los varones. Por supuesto que, por lo general, los hombres adolescentes son más fanfarrones y menos discretos que las mujeres al respecto, pero la masturbación es practicada por muchas chicas.

La masturbación, según estudios médicos, no produce ningún daño. El daño puede estar en la sugestión, en las ideas absurdas e ignorantes sobre el funcionamiento del organismo. Ideas dañinas e incluso ridículas como *"si te masturbas demasiado, luego no podrás funcionar normalmente"*, *"se te seca el cerebro"*, *"acabas con tu energía"* entre otras sandeces. Un joven tiene que liberar su energía sexual de alguna manera. Los adultos le decimos que no tenga relaciones y que además "no piense en eso". ¿Qué alternativa le va a quedar? Es mejor dejarlo en paz. Que tenga discreción y punto.

Si fuera una actividad obsesiva o compulsiva, pues entonces puede requerirse de un especialista, pero normalmente simplemente es la energía de su edad que necesita ser liberada. Respeta su intimidad y que él respete la de los demás.

13 "¡Ya tiene novio(a)!"

Titular este tema como "tener novios o novias" es un poco exagerado, pero sin embargo da una idea clara del tema. En realidad podría llamarse "frecuentar a alguien del sexo opuesto", pues el término noviazgo se refiere a algo mucho más formal que lo que realmente ocurre cuando los jóvenes salen con otros jóvenes.

Podemos separar las salidas en dos etapas: las salidas entre los 12 y los 15 años de edad y las salidas entre los 16 y los 19, ya que tienen características diferentes.

Entre los 12 y los 15 años, salen en pequeños grupos al cine, al boliche, a fiestas de compañeros de la escuela o simplemente al centro comercial (los cuales han substituido a los parques de antaño) para socializar e incluso para conocer gente nueva. Tu hijo puede salir y no necesariamente estar interesado en el sexo opuesto hasta mucho después.

¿Se debe permitir a los jóvenes salir así? Claro que sí. Tu hija está preparada para salir con amigas y amigos cuando expresa su interés en hacerlo, la pasa bien con ellos y muestra sentido de responsabilidad, regresando a la hora acordada y estando donde dice que va a estar. Si fallaran en estos aspectos, debes limitarles temporalmente las salidas hasta que aprendan a desarrollar mayor autocontrol.

Entre los 16 y los 19 años, las salidas y las relaciones empiezan a hacerse más formales. Aprenden sobre la responsabilidad que debe existir en una relación y sobre las diferentes formas de comunicación que hay en la pareja. Pueden establecer relaciones más profundas y en consecuencia, sufrir y hacer sufrir desengaños amorosos. Mediante estas experiencias, los adolescentes aprenden a convertirse en jóvenes adultos. ¿Se deben permitir este tipo de relaciones? Mejor lo plantearía de otra forma: ya que no podrás evitar este tipo de relaciones, mejor observa y aprende a orientar a tus hijos al respecto, sin intervenir en exceso o incluso interferir en sus vidas afectivas.

Es importante que puedan hablar libre y honestamente sobre las drogas y el alcohol, también sobre sus valores y conocimientos sobre el sexo, así como de la responsabilidad necesaria para la prevención de posibles enfermedades y el embarazo.

Es importantísimo que llegues a un acuerdo sobre la veracidad de lo que te dicen, para poder confiar en que están donde dicen estar y para cumplir con los horarios que se acuerden en cada ocasión.

Puedes proporcionarles algún teléfono celular o localizador para emergencias o cambios de planes.

Si eres muy rígido sobre este asunto con tu hijo(a), es muy probable que no te comunique lo que haga y tenga una doble moral hacia ti. Te dirá lo que quieres oír, pero no lo que realmente hace u ocurre en su vida. Tu hija debería poder acercarse a ti en busca de consejo u opinión.

Trata de equilibrar la firmeza con la discreción y el respeto. Si eres muy brusco al tocar estos temas, es probable que lo incomodes. Sé firme para establecer cuáles son los límites y horarios de la casa. Sé respetuoso sobre su forma de relacionarse con su novia o sus aprendizajes de trato mutuo.

Respetar la intimidad de tus hijos, es decir, su derecho a no comunicar sobre ciertos temas, es justamente la llave para abrir la puerta de dicha intimidad cuando ellos así lo necesiten.

14 "¿Debo dejarlo ir a fiestas y darle permisos?"

Cuando tu hijo es pequeño, los permisos, los horarios y las fiestas no son motivo de mayores conflictos; la cosa se pone difícil cuando llegan a la adolescencia.

Una de las principales angustias de los padres es producida por el temor de que les pueda pasar algo malo a sus hijos. Efectivamente, debemos estar alertas en una sociedad con tanta tendencia al consumo de drogas o al abuso sexual, sin embargo, también debemos permitir a nuestros hijos vivir su vida. No los subestimes en su capacidad para defenderse y estar alertas ellos mismos.

Según la edad debes acordar diversos márgenes de libertad y límites.

Los permisos para salir de casa, siempre y cuando se cuiden aspectos elementales de seguridad, deben ser concedidos para fomentar la autonomía.

Los horarios dependen también de la edad; por ejemplo, los hijos menores de 10 años deberían ser siempre supervisados cuando se ausentan de la casa por la noche. Por lo general, cuando se ausentan, se debe a que están invitados a dormir a casa de un amigo y debe existir conocimiento de la familia con la que se le permite ir. Cuando hay permisos para salir al cine o a fiestas, siempre debe haber un adulto a cargo.

Entre los 11 y los 14 años, suelen ser un poco más independientes y capaces de quedarse solos en casa por unas horas. A esta edad pueden ir al cine, estar jugando futbol o pasear en un centro comercial con amigos sin la supervisión permanente de los padres. Sólo hay que estar al pendiente de que se cumplan los horarios y de que estén siempre localizables. Aunque uno no permanezca junto a ellos, se debe saber dónde están todo el tiempo.

Los jóvenes de 15 a 17 años normalmente son suficientemente responsables para estar fuera de casa hasta medianoche en ocasiones especiales de fiesta o reuniones sociales. Entre semana deben ajustarse a los horarios que no interfieran con sus actividades escolares.

Arriba de los 18 años, normalmente están fuera hasta que lo desean, pero se deben negociar con ellos los horarios para cada ocasión, en consideración a los otros miembros de la familia y las costumbres de la casa.

¿Adónde va tu hijo? Cuando tu hijo es menor de 14 años, esto no suele ser un problema. Tú sabes dónde está porque normalmente tú lo llevas. El problema se presenta con los jóvenes de 15 años en adelante. Su círculo social se expande y se relaciona con muchos amigos nuevos.

Averigua cuáles son los puntos de encuentro de tus hijos con sus amigos (clubes, parques, etc.). Dedica un fin de semana para ver cómo son. Hazlo por tu cuenta para no incomodarlo o hacerle sentir que desconfías; sólo es para tu tranquilidad.

Conviene invertir en un localizador o en un teléfono celular que te permita localizarlos o que les permita a ellos utilizarlo por si tienen alguna dificultad (evidentemente debe contratarse un plan limitado de tiempo para no acabar desfalcado).

Adónde va tu hijo y quién lo acompaña son factores importantes para decidir la hora del regreso.

Es muy importante platicar con ellos sobre los riesgos reales que pueden enfrentar al estar en "antros": como hielos con éter, seudo amigos con intenciones de abuso sexual, etc. y cómo deben protegerse mutuamente con estrategias del tipo "conductor designado" (el que no bebe y le toca manejar el auto esa noche) o nunca ir sola, sino siempre en grupo con varias amigas, entre otras posibles formas de prevención y cuidado mutuo.

La primera relación sexual de un(a) joven
puede ser un punto de ruptura definitiva
entre padres e hijos o la oportunidad
para acercarse mucho y rescatar la relación.
Si eres demasiado riguroso(a),
perderás una gran oportunidad
de acercamiento.
La actividad sexual del joven
te da la oportunidad de hablar de valores,
autoestima y de los problemas
que pueden presentársele.

La información mínima indispensable
con la que debe contar un(a) joven
al respecto es:

1. Embarazo.
2. Períodos de fertilidad.
3. Métodos anticonceptivos.
4. Enfermedades de transmisión sexual.
   Características y prevención.
5. SIDA. Características.
   Formas de contagio. Prevención.

"¿Y si tiene relaciones sexuales?" 15

Este delicadísimo tema debes irlo abordando con tus hijos a lo largo de los años; no es algo que deba tratarse repentinamente.

Para que una persona evalúe cuándo es el momento de iniciar su vida sexual con una pareja, debe basarse en valores, en el respeto, la responsabilidad, la honestidad y la autoestima. Estos valores y aspectos no se inculcan con palabras o sermones de última hora. Los valores y la autoestima se inculcan y se desarrollan a lo largo de toda la vida, desde pequeñitos; así, cuando se requiere hablar del tema de las relaciones sexuales, ya se tiene mucho terreno avanzado.

La educación sexual, recuérdalo, no sólo implica la genitalidad o el acto sexual en sí, sino que incluye aspectos relativos a los roles sexuales en la sociedad donde se vive, el autoconocimiento como persona y del propio cuerpo, valores para poder convivir adecuadamente, respeto por el propio cuerpo y el de los demás, el considerar a otros como seres autónomos y no sólo como "cosas" o entidades para satisfacer las propias necesidades físicas y afectivas.

Para abreviar: sólo debes reconocer el hecho de que mientras más confianza generes a lo largo de toda la vida en tus hijos, más fácil te será abordar estos temas.

Reconoce que no te va a pedir permiso para iniciarse sexualmente y que hay una edad en la que va ocurrir. Trata de que retrase su iniciación por lo menos hasta que sea un(a) joven adulto y no un adolescente. No lo asustes, ni lo amenaces, sólo dile que trate de madurar en una serie de características que sólo el tiempo le permitirá adquirir.

Cuando he colaborado con diversas escuelas para trabajar con los jóvenes en programas de educación sexual, durante las sesiones de trabajo con ellos, una de las preguntas típicas que ellos plantean es:

¿cuándo está bien iniciar las relaciones sexuales?...

Consciente de la gran responsabilidad que tengo al estar frente al grupo y con el fin de no contestar de forma que pierda su interés (ya que si contesto: "cuándo te cases o mejor no tengas hasta

S E R E

Para iniciar y mantener
una vida sexual activa,
responsable y placentera,
es necesario alcanzar madurez
en cuatro aspectos indispensables:

Madurez Social
Madurez Emocional
Madurez Reproductiva
Madurez Económica

El juego con la palabra "SERE"
ayuda a recordar fácilmente
los puntos.

— **Dr. Eugenio Echeverría**

que seas mayor", perdería el interés de los jóvenes por convertir la sesión en un sermón), lo que hago es plantear un juego mnemo-técnico (un truco para recordar con facilidad un concepto):

Les digo que una persona está lista para tener una vida sexual activa cuando logre la madurez en cuatro aspectos básicos:

S. E. R. E.
¿Qué es el "SERE"?:
Madurez en los aspectos: **Social**
                                         Emocional
                                         Reproductivo
                                         Económico

Madurez Social: Significa alcanzar la edad para que socialmente no tengas que ocultar tu relación íntima. Es más, se llega a una edad en la que no tener relaciones íntimas con alguien ya se considera un desorden de la conducta. Cuando se es adolescente y se tienen rela-ciones genitales, hay que ocultarse, mentir y esto complica las situa-ciones. Vivimos en una sociedad que no prepara la iniciación sexual de los jóvenes: cada uno debe hacerlo por su cuenta y a su mejor en-tender. Alcanzar la madurez Social, significa tener la edad para que no tengas que ocultar que tienes una vida sexual activa con tu pareja.

Madurez Emocional: Significa alcanzar la estabilidad emocional para poder tener relaciones íntimas con alguien sin sentirte conflic-tuado(a), sin presiones de lo que otros opinen. Muchas adolescen-tes tienen relaciones y se sienten culpables, o incluso llegan a pade-cer serios procesos de autodevaluación al hacer cosas que sienten que todavía no son adecuadas para ellas mismas, presionadas por su pareja. Si no tenemos seguridad personal para decidir libremen-te, entonces no se harán elecciones correctas y por lo tanto, no se está listo para tener una relación íntima con alguien más.

Madurez Reproductiva: Significa que al tener una vida sexual activa, se corre el riesgo de embarazo. A pesar de los métodos anticonceptivos que puedan utilizarse, existe el riesgo. La pregunta es ¿estás listo(a) para responder adecuadamente en caso de embarazo? ¿no? ¿entonces por qué consideras que puedes hacer algo libremente cuando no puedes enfrentar sus posibles consecuencias? Si tu respuesta es afirmativa para poder enfrentar un embarazo, además de tener la edad física óptima para tener hijos, entonces estás listo(a) para hablar de madurez reproductiva.

Madurez Económica: Significa que si no tienes dinero ni para mantenerte tú solo, cómo vas a hacer frente a los gastos que se generan con una vida sexual activa... y no estoy hablando sólo en el caso de un posible embarazo y del mantenimiento y la educación de un hijo, sino que se necesita de un lugar que cuesta dinero. Muchos jóvenes creen que pueden tener relaciones en lugares clandestinos gratuitos todo el tiempo. ¿Dónde vas a tener relaciones si no tienes dinero ni para un hotel o un departamento? El dinero que tiene tu familia, no es tuyo; es de tus padres. Tú todavía no tienes nada.

Este tipo de explicación, la utilizo cuando hablo con ellos y funciona muy bien porque los enfrenta con la realidad, sin moralismos, ni amenazas. Pueden ver que aunque sea atractivo, no les conviene todavía tener relaciones en la adolescencia. Ya elegirán cuando sean jóvenes adultos, y mientras más lo mediten, más responsable y correcta será su elección. Como puedes ver, no les hablo de edades, les hablo de momentos de madurez, e incluso también podrás percatarte de que muchos adultos con vida sexual activa, no tienen madurez en varios de los puntos aquí enlistados. Tampoco recurro al concepto del amor para hablar de la primera relación porque pueden confundirse con facilidad y creer que "mientras lo hagan con amor" entonces cuentan con la "visa" para tener relaciones sexuales, pues en la adolescencia cualquier subida de temperatura es confundida con amor eterno y verdadero. Mejor que consideren aspectos más objetivos y prácticos. Te recomiendo el "SERE" para hablar sobre su primera relación sexual y tendrás más credibilidad para que te hagan caso.

"Mi hija ya tiene ciclo menstrual" 16

Aunque pueda parecer absurdo o sorprendente para algunos, he estado en contacto con una gran cantidad de jóvenes que carecen de información completa sobre la mecánica de la menstruación.

Es muy importante que cuando se presenten los principales cambios corporales previos a la adolescencia y a la menstruación, se les informe detalladamente al respecto. Existen muchas películas y libros muy bien elaborados sobre el tema.

Es también muy importante que esta información la tengan los varones, pues los cambios que sufre un miembro de su familia o alguna amiga de la escuela o del vecindario, le ayudarán a comprenderla mejor. Debe inculcarse en los hombres conceptos de respeto y no permitir las bromas pesadas sobre este punto.

Es recomendable que la mamá lleve a su hija por lo menos dos veces al año al ginecólogo para que la orienten en diversos aspectos de higiene y cuidado en general. Si a la joven le da pena o le incomoda que un "señor" la revise tan íntimamente, pues hay que conseguir una doctora ginecóloga, pero la revisión debe ser periódica, como la del dentista. La prevención, la inspección del busto, la revisión puede ser clave para mantener la salud. A tu hija se le deben contestar todas las preguntas que haga al respecto. Qué tipos de toallas sanitarias hay y cuál puede ser la mejor para ella; si padece de dolores excesivos, es conveniente consultarlo con el médico, pues hay alternativas para que no tenga que sufrir durante cada período.

Los padres, no sólo las madres, deben involucrarse y por lo menos tener algún detalle con sus hijas cuando sepan que ya entraron a esta etapa y llevarlas a comer o regalarles algo especial (flores o cualquier detalle) como símbolo del reconocimiento de su ingreso a otra etapa de feminidad, de aceptación y respeto por una transición tan importante en una nueva fase de su crecimiento.

17 "¿Y si tengo un(a) hijo(a) homosexual?"

La homosexualidad es una posibilidad que aterra a casi todos los padres de familia; sin embargo es algo que puede ocurrir y debe abordarse abiertamente. No hay investigación suficiente que demuestre concluyentemente si su origen es biológico, psicológico o procede de una elección consciente. Tal vez sea multifactorial, es decir, causada por una combinación de los factores anteriores o por otros no enunciados aquí. La cuestión es que no es previsible. Puede ser desplazada por la presión social pero a un costo altísimo. Si los padres expresan amenazas al respecto, generarán un gran distanciamiento con su hijo(a). Suficientemente difícil es para alguien con esta preferencia, enfrentar la burla de los compañeros en la escuela y el rechazo social, como para además tener que padecer el de sus padres.

La homosexualidad no necesariamente se manifiesta con actitudes femeninas de parte de los varones o con actitudes masculinas por parte de las mujeres. Hay muchos casos en los que hombres muy masculinos y mujeres muy femeninas, son homosexuales. La preferencia sexual suele ser clara desde muy pequeños. También hay situaciones donde el o la joven llegan a tener una experiencia sexual con alguien de su mismo sexo, como parte de su búsqueda y despertar a la experiencia sexual pero luego eligen la heterosexualidad como preferencia definitiva. Una experiencia así, no convierte a alguien en homosexual, puesto que su preferencia no se define por una experiencia aislada.

El debate y las posturas son variadas ante la homosexualidad, pero creo que el punto importante al respecto para un padre de familia es que si se llegara a tener que enfrentar al hecho de que su hijo(a) tiene tendencia homosexual, y ello le provoca dolor o incluso rechazo, lo que debe hacer es consultar a un psicólogo clínico para desahogar sus temores y poder asumir una realidad inevitable. No estaría de más algunas sesiones con el o la joven para clarificar sus preferencias y ayudarle a que asuma su identidad sexual de manera constructiva y saludable.

"Se tienen celos" 18

Los pleitos entre hermanos siempre han sido y serán un tema preocupante para los padres, tanto por sus causas como por sus posibles consecuencias.

Los celos y la competencia entre hermanos es una cuestión en la que hay que poner especial cuidado, pues en ocasiones somos copartícipes al actuar con preferencias hacia alguno de los hijos. Aunque digas y sientas que puedes dar la vida por cualquiera de tus hijos, tal vez actúes dando la impresión de preferir o de proteger más a alguno que a otro.

Es importante no sentirse culpable por ello, pero debes reconocerlo ante ti mismo(a) cuando ocurra para que puedas corregirlo; de otra manera, la negación y el autoengaño empeorarán las cosas.

Como ocurre con todas las personas con las que nos relacionamos, hay algunas con las que somos más afines, compartimos gustos o simplemente tenemos ritmos y velocidades similares para entender las cosas, para comunicarnos y para actuar. Cuando alguien es más lento o más rápido que uno, se tiene la tendencia a rechazarlo.

Cuando los antecedentes de la relación fueron complicados o dolorosos se tiene también la tendencia a asociar a la persona con dichos momentos. De la misma forma, asociamos los momentos placenteros o felices con la gente que estaba en ellos. Por lo tanto, se puede asociar inconscientemente a un hijo con dichos momentos agradables o, en su caso, dolorosos, y entonces responder emocionalmente en consecuencia.

Hay casos extremos en los cuales se asocia inconscientemente a un hijo de un matrimonio fallido con la ex pareja, y transferir a él el posible rechazo, con muy graves consecuencias para el niño, quien recibe cargas emocionales negativas inexplicables de su madre o de su padre.

Cuando suceden cosas así, se puede involuntariamente llegar a ser copartícipe de los pleitos por celos entre hermanos o medio hermanos y uno debe tomar conciencia y actuar para no propiciar dichas situaciones.

La solución es no sólo decir que los "quieres igual a todos", debes demostrarlo a través de tus actos:

- *Si tienes algún detalle o atención con uno, debes tenerlo con los otros, de acuerdo con sus edades e intereses particulares.*
- *Si corriges a uno, debes corregir al otro cuando haga algo similar o equivalente.*
- *Si dedicas tiempo para jugar, platicar o convivir con uno, debes hacer lo mismo con el otro o los otros hijos, de acuerdo con las necesidades de cada uno.*

En fin, creo que es suficientemente evidente lo que ocurre entre hermanos cuando demuestras preferencia por uno de ellos... lo vuelves alguien odioso para los menos favorecidos. Así que no creas que le estás haciendo un favor, al contrario.

A veces las preferencias de los padres por uno de sus hijos ocurren por neurosis asociadas con el género de sus hijos (desprecio por las mujeres o rencor por los hombres) y se dan discriminaciones por supuestos "roles" del hombre o de la mujer, propiciando serios conflictos entre hermanos.

Cuando los celos ocurren sin que tú real y honestamente demuestres preferencia por alguno de tus hijos, entonces debes buscar acercarte un poco más a ellos y convivir con cada uno sin la presencia de los otros; puedes invitar a desayunar un día a uno sin el otro y después hacer lo mismo con éste. Busca formas y espacios para convivir por separado con cada uno y luego en conjunto.

Propicia momentos de intimidad con cada uno, además de la convivencia colectiva.

Cuando los pleitos ocurren por desacuerdos entre ellos, propios de toda convivencia que se desgasta por la rutina, debido a la falta de respeto de alguno o como un simple intento de dominio de alguna de las partes, entonces debes estar al pendiente de que no haya una agresión mayor pero permitiendo que se arreglen entre ellos solos.

¿Cómo vas a fomentar su autonomía para resolver problemas interpersonales, si no les das la oportunidad de resolver sus propios conflictos?

Procura no meterte, sólo intervén cuando la cosa se está poniendo muy ofensiva o violenta, ya que entre las reglas de tu casa puedes incluir que al discutir no está permitido insultar o agredir físicamente al otro, pero deja que ellos se las arreglen.

Recuerdo una ocasión en que mis hijos estaban discutiendo por la música que iba a escucharse en el automóvil durante un trayecto largo. Al ver que no llegaban a nada y que la cosa subía de tono, decidí intervenir diciendo: *"si no pueden ponerse de acuerdo de manera justa, entonces el que decidirá la música que se oirá, seré yo"*; en menos de tres minutos ya habían llegado a un acuerdo razonable para ambos. Yo no propuse la solución, ni mucho menos se las impuse, sólo establecí el límite: *"no pienso viajar en medio de pleitos, además de que no voy a tolerar insultos, por lo que arréglenlo ustedes y rápido pues de otra forma yo tomaré la decisión por ustedes"*. (Creo que exageran con respecto a mis gustos musicales, pero fue algo efectivo).

Los golpes entre ellos deben estar prohibidos como regla fundamentada en el valor respeto, pero inevitablemente ocurrirá algún día; sólo haz que asuman la consecuencia proporcional al daño causado y debes ser firme. En el capítulo **Disciplina Inteligente**, te sugeriré más alternativas de acción.

19 "No me gustan sus amigos(as)"

Cuando no te agraden los amigos de tus hijos, debes actuar con mucha sensatez y respeto para realmente salir bien librado(a), pues si presionas demasiado, puede ser contraproducente.

Pocas cosas pueden provocar más indignación en los hijos que la acusación de un padre o una madre de no saber escoger a sus propios amigos.

Cuando los niños son pequeños, normalmente los padres determinan el tipo de amistades de sus hijos, debido a los entornos sociales en los que se mueven (la escuela, el vecindario, el club) pero al crecer y al estar los hijos en posibilidades de ampliar su círculo mucho más allá de tu control, te pueden preocupar ciertas compañías de jóvenes que "no te gustan" o en quienes incluso percibes cierto riesgo con su contacto. ¿Qué hacer? Alienta a tus hijos para que inviten a sus amigos a la casa, de manera que puedas conocerlos. Unos amigos mencionaban que su estrategia es incluso "adoptar" a los amigos de sus hijos. Los invitan a donde salen, comparten un domingo viendo películas con ellos, los incluyen en los planes de fin de semana, a vacacionar, en cualquier actividad que realizan normalmente con sus hijos. De esta manera tienes posibilidades de un mayor acercamiento y puedes realmente eliminar posibles prejuicios de apariencia o producto de una mala impresión inicial.

Recuerdo a mi propia madre rechazando a un amigo de la primaria por su apariencia un tanto desaliñada y sucia y sus malos modales, sin embargo era en quien me apoyaba para hacer mejor mis tareas. Asimismo, recuerdo por aquellos años, lo bien que le caía otro niño vecino por su apariencia, y sin embargo era con quien yo me juntaba para aprender a fumar. Los prejuicios obstaculizan la observación y fomentan la intolerancia.

Cuidado con fomentar el racismo o la intolerancia con tu actitud prejuiciosa por raza, religión o estrato social diferentes al tuyo. La tolerancia significa la convivencia armónica de las diferencias.

"Dice muchas groserías **20** y usa lenguaje de pelados"

Limita tu propia expresión de groserías en casa, en tu carro, en la calle, etc.

Dependiendo de la región donde vivas y de tus costumbres, hablarás con groserías o no, pero es importante aprender a utilizar el lenguaje correcto en el lugar apropiado.

Si tú mismo(a) dices groserías, no deberá extrañarte que tus hijos las usen.

Si tú no las usas y tu hija(o) las dice continuamente, debes indicarle que mientras hable así no vas a establecer comunicación con ella. Que aprenda a tener autocontrol de su lenguaje. Es alarmante la proporción de groserías utilizadas durante un diálogo de jóvenes. En un "reality show" en la TV, empecé por ocio a contar el número de veces que los "chavos y chavas" hablaban vulgarmente y perdí la cuenta. Una de las más usadas era "güey". "No güey", "sí güey", "me cae, güey"... así hasta la náusea.

Simplemente limita el uso de las groserías a un contexto en donde no alteren o incomoden a otras personas. Si están con sus amigos, ni te metas, a menos que estén frente a otras personas que no sean de dicho círculo y ante las que no sea prudente utilizarlas.

Con respecto a palabras que sean de uso común y que tú desconozcas, en lugar de protestar y cerrar tu comunicación, mejor conócelas y amplía tu vocabulario, aunque sean "caló". Es mejor conocer qué se está diciendo a quedarte fuera de contacto por aferrarte a una posición demasiado rígida con respecto al lenguaje.

21 "No me gusta cómo se viste, ni cómo se peina"

Antes de leer este tema, por favor ve por tus cajas o álbumes de fotografías y encuentra algunas tuyas de cuando eras adolescente o apenas un joven adulto de veinte años...

¿Qué tal? ¿Tenías el pelo largo?, ¿usabas minifalda?, ¿te ponías pantalones acampanados?, ¿usabas cuello de tortuga y medallones?... ¿Recuerdas los comentarios de tus padres y de tus maestros al respecto? Y sin embargo, a pesar de todo lo que te dijeron y de todo lo que te profetizaban, no pasó nada de eso... ni fuiste un mugroso, ni una cualquiera, ni nada de lo que probablemente te advirtieron. Si no viviste esto, fuiste afortunado, pero no se lo hagas vivir a tus hijos. La moda es cíclica y pasajera.

Si tu hijo lleva un peinado al estilo "cuernos de búfalo", o si se rapa o peina como el futbolista de moda, déjalo en paz. Sólo asegúrate de que sepa que no puede romper las reglas de apariencia requeridas por la escuela y que no es la higiene lo que está en discusión.

Si tu hija usa pantalones a la cadera y enseña el ombligo, recuerda que es parte de su búsqueda de identidad y aprobación de su grupo de amigas, además de que tal vez realmente se vea muy bien, a pesar de que a ti no te lo parezca.

El sentido común vuelve a ser necesario en este punto. Evidentemente no vas a permitir excesos, como tatuajes permanentes mientras estén bajo tu tutela, pues estás allí para evitar que ciertos gustos y modas pasajeras se vuelvan irremediablemente permanentes, por decisiones impulsivas típicas de la adolescencia. Ellos no lo ven así, pero tú sí puedes tener la perspectiva necesaria para detectar esos riesgos. Habla con ellos y explícales que más adelante se pueden arrepentir. Mientras no sean decisiones que los anclen permanentemente a una apariencia y sean imágenes temporales, no debes intervenir demasiado.

¿Y los aretes en hombres? ¿El "pearcing" (objetos metálicos insertados en diversas partes del cuerpo)? Con los aretes, simplemente transmíteles tu opinión y deja que enfrente los comentarios adversos de quienes le rodean.

En la escuela no le van a permitir usarlos. Déjalo y verás que pronto los deja.

Con el pearcing, puede ser más vigorosa tu intervención pues pueden producir infecciones o daños permanentes.

Para ciertos eventos sociales o religiosos, puedes pedirles que se arreglen diferente; no esperes mucho al respecto de tus adolescentes, pero si lo pides sin entrar en pleitos, exageraciones o incluso calificativos despectivos (*"pareces caja fuerte"*, *"pareces loco"*, *"pareces drogado de la calle"*, etc.) lograrás avances. Si descalificas y ofendes, no te sorprenda que te contesten de la misma forma.

El respeto es una avenida de dos sentidos. No puedes pedirlo si tú mismo(a) no lo otorgas.

22 "¡¿Y si se vuelve adicto a las drogas o al alcohol?!"

La posible ingestión de alcohol o el consumo de drogas es un tema que requiere un análisis minucioso y, por lo tanto, rebasa las posibilidades de un libro de divulgación como éste. Sin embargo, algo podemos hacer para su oportuna detección, prevención y/o canalización.

Es muy importante informarse más a fondo sobre la personalidad adictiva y los tipos de drogas que circulan afuera de las escuelas y en los llamados "antros".

Por principio, no rechaces o ignores los apoyos o programas que se realicen sobre el tema en el colegio de tus hijos; es más, propícialos y búscalos para estar al día sobre un problema de dimensiones enormes, que va más allá de la salud de tus hijos y que alcanza proporciones politicoeconómicas mundiales.

Vivimos en un entorno propicio para las adicciones, por lo tanto, hay que estar en alerta permanente.

Por ignorancia, podemos ser cómplices de esta cultura tolerante y enferma. Por lo tanto, este aspecto debemos tomarlo muy en serio y de frente.

No se trata de asustarnos y actuar irracionalmente, sino de conocerlo para reducir en lo posible sus efectos tanto sobre nosotros mismos como sobre nuestros hijos.

Hay que comprender que alguien puede ser adicto a una sustancia, conducta o persona.

Al hablar de adicciones no se deben considerar exclusivamente sustancias como las drogas, las medicinas o el alcohol. Se puede ser adicto a personas o también a conductas.

La personalidad adictiva

Para empezar, es necesario identificar los principales mecanismos de la personalidad adictiva. Sus principales expectativas, o los "servicios" que la persona espera obtener de la adicción son:

"Me siento mal y no pienso vivir esto que me desagrada; mejor lo evado."
"Así ya no voy a sentir dolor."
"La adicción (persona, sustancia o conducta) *me ayuda a mantener el equilibrio psicológico y emocional."*
"Mejorará mi funcionamiento emocional, social e intelectual."
"Voy a encontrar más placer y excitación."
"Voy a obtener poder y pertenencia."
"Aprendo más ya que estoy más sensible y receptivo."
"Tengo mayor creatividad".

Así, muchos padres de familia presentan, ellos mismos conductas adictivas, y sin embargo, "tienen mucho miedo de que sus hijos caigan en las drogas". Una señora que consume diariamente pastillas para dormir, es adicta, pues dichas pastillas le dan un "servicio" de acuerdo con alguna de las expectativas anteriores. Otras personas son alcohólicas y aseguran *"no lo soy porque lo puedo dejar cuando quiera, lo que pasa es que no lo quiero dejar ahorita".*

Son frecuentes diversas costumbres que propician el consumo de drogas:

Darle tantito rompope al niño para que *"aprenda a beber desde chiquito y luego no me lo emborrachen"*; el niño se pone "chistoso" y luego busca beberse los fondos de los vasos en las fiestas para ponerse "chistoso".

Se le da té con "piquete" a la joven que sufre dolores menstruales para que se le calmen. Evidentemente, se relaja y se duerme, es decir recibe el "servicio" del "piquete", en lugar de buscar con un ginecólogo competente alguna solución real.

Estoy seguro que tú podrías darme muchos ejemplos más.

Momentos de susceptibilidad a las adicciones
Es importante conocer algunos momentos en los que alguien pue-

de ser susceptible para establecer relaciones adictivas (con una sustancia, persona o conducta):

- Cuando muere un ser querido.
- En momentos de severa confusión (adolescencia).
- Cuando pierde ideales o sueños.
- Cuando busca identidad.
- Cuando pierde a un amigo.
- Cuando experimenta un fracaso grave o una serie de fracasos seguidos.
- Cuando enfrenta nuevos retos sociales o aislamientos.
- Cuando experimenta una frustración.
- Cuando deja a su familia.
- Cuando ha padecido abusos sexuales o de poder.
- Cuando siente presión de otros y necesidad de pertenecer.
- Por estatus.

Es importante estar al pendiente de tus hijos cuando veas que experimentan situaciones como las anteriores y ofrecerles alternativas de comunicación, desahogo o incluso terapia preventiva.

En el comportamiento humano no hay un factor "único" que determine el uso de la sustancia, persona o conducta a la que se es adicto. La adicción es una enfermedad producida por varios factores internos (psicológicos y emocionales) y externos (medio ambiente familiar, grupal y social)

Características de una personalidad adictiva:
1. Obsesiva.
2. Dependiente psicológica y físicamente.
3. Pérdida continua de control.
4. Baja tolerancia a la frustración.
5. Negación ante los problemas.
6. Inmadurez emocional (conforme al promedio para su edad).

7. Inestabilidad.
8. Intensidades descontroladas.
9. Compulsiva.
10. Manías (varias y continuas).
11. Autocompasión.
12. Mentira crónica.
13. Evasión.
14. Irresponsabilidad total por sus actos y sus consecuencias.
15. Incapacidad de asumir las consecuencias de sus actos.
16. Angustia.
17. Ansiedad.
18. Imprudencia.
19. Derroche.
20. Cambios de humor repentinos.
21. Cambios de conducta bruscos y temporales ("muy raro, acelerado o calmado").
22. "Coleccionista" de resentimientos y corajes acumulados.
23. Miedo crónico.

Algunas de estas características pueden observarse en los hijos desde muy pequeñitos, por lo que es importante estar alertas y prevenir, en caso de llegar a enfrentar momentos de riesgo como los mencionados anteriormente. Estas características, combinadas con los momentos propicios, pueden detonar adicciones.

Los padres como primeros facilitadores/proveedores de drogas
Otro aspecto muy importante dentro de este entorno propicio a la adicción es el hecho de que muchos padres, con la buena intención de aminorar el dolor, el sufrimiento o la frustración de sus hijos provocados por diversos factores, recurren a elementos externos (pastillas, medicinas, dulces, regalos, etc.) para reducir o eliminar de inmediato dichos dolores, sufrimientos o frustraciones.

Se recurre a un medio externo para solucionar un problema interno. El niño aprende que para eliminar su dolor, sufrimiento o frustración existe un "remedio" externo rápido. No se le enseña a procesar, trabajar, comunicar y clarificar el origen de su malestar, sólo se le da la pastillita.

Ejemplo: La niña llegó de la escuela con dolor de cabeza y triste... su mamá le da un analgésico, le dice que no pasa nada y la acuesta para que descanse, en lugar de platicar con ella y posiblemente descubrir que se peleó con su mejor amiga, o que se le cayó su lunch y no comió nada en el recreo o que la maestra le llamó la atención y se sintió frustrada. En lugar de esto, la niña sólo se toma una pastilla y se duerme. No procesa emocionalmente nada de lo experimentado; sólo lo tapa, lo evade y la mamá lo propicia.

La niña aprende que para todo mal hay un remedio externo rápido y eficaz. Al ser adulto no se plantea la posibilidad de procesar emocionalmente nada, y opta por consumir altas dosis de pastillas cuando tiene problemas con su esposo o en su vida en general.

Las frases *"para todo mal, un mezcal"*, *"con tequilita se te quita"* es una proyección de esta "solución" de recurrir a factores externos **para no sentir** lo interno. No se usa lo externo para solucionar lo interno, sino para **evadirlo**.

Salvo mediante receta médica en caso de enfermedades físicas reales, no debes proporcionarle estas ayudas externas a tu hijo y es mejor invertir un poco de tiempo, paciencia y comunicación para ayudarlo a procesar emocionalmente los problemas de la vida.

No te conviertas en el primer facilitador proveedor de drogas de tus hijos.

"Escucha música muy fuerte y como de drogados"

23

Este es un problema que debe resolverse mediante una buena comunicación y negociación, pues tu hijo, seguramente también padece tus gustos musicales, aunque sean muy "selectos y cultos".

Es un hecho real que los gustos musicales entre jóvenes y adultos normalmente difieren, pero eso no tiene por qué ser motivo de conflicto o pleitos; simplemente se deben establecer reglas claras respecto al horario y al volumen aceptable para escuchar cada quien su música.

No te metas demasiado con sus gustos, la mejor manera de propiciar un buen gusto musical (según tu idea de buen gusto musical) es poniendo dicha música en el entorno cotidiano de la casa.

Ellos también tienen derecho a escuchar su música, a lo que debes acceder. Sólo debes negociar que todos escuchen a ratos la música de su gusto y no sólo la de un miembro de la familia.

Si tus hijos adolescentes se aislan para escuchar su propia música, no debes intervenir; déjalos en paz. Si el volumen interfiere con el resto de las actividades de la casa o molesta incluso las del vecindario, entonces dialoga para acordar un volumen moderado.

Con respecto a si es música "pesada" o "ponchis-ponchis", lamento decirte que no tienes nada que hacer al respecto, pues esa es la moda y es lo que a tus hijos les funciona como parte de su búsqueda de identidad con sus amigos con quienes comparte gustos. Acuérdate de tus gustos cuando tenías su edad y de cómo diferían de los de tus padres en aquella época.

El que escuche música "como de drogados" es una interpretación que no necesariamente es acertada y aunque así fuera, eso no convierte a tu hijo en un drogadicto. Recuerda que eso de las drogas se refiere a una problemática más compleja; como se expresó en el tema anterior. Si ese es el caso, consúltalo y no lo confundas con modos o costumbres sin mayor importancia.

24 "Admira a alguien que es un mal ejemplo"

La búsqueda de identidad es un proceso necesario. En el caso de niños pequeños, pueden identificarse con "súper héroes" o con artistas que tengan características deseables para ellos. No creo que deba ser algo preocupante. Simplemente platica con ellos e indaga las razones por las que les gusta tanto dicho personaje.

Ya sé que se cuentan historias sobre un niño que por no poder distinguir entre la fantasía y la realidad, se aventó de la azotea para volar como Superman; sin embargo, ni sé si fue cierta o no dicha historia o qué "disparadores" llevaron al niño en cuestión a ese extremo. Cuando la escuché, que coincidía con la edad de gran admiración de mi propio hijo por los súper héroes, le dije en tono de advertencia que no se le ocurriera intentar volar; se me quedó viendo con incredulidad y me dijo: "papá ¿cómo se te ocurre que la gente puede volar?" Preferí sentirme tonto por mi comentario pero así me aseguré de su capacidad para distinguir la fantasía de la realidad. Efectivamente hay edades en las que esta distinción no está establecida, pero tampoco subestimes a tus hijos y su capacidad crítica.

Pero la cuestión se complica (para variar) con los adolescentes; algunos admiran a personajes justamente opuestos a sus padres como un acto de protesta y rebeldía. No hay problema; déjalos; es temporal. Aunque tengas que aguantar el pelo largo, corto o teñido, recuerda que sólo es una etapa pasajera. Cuando crezcan y maduren desparecerán esas identificaciones. La necesidad de ser diferentes a los padres es muy fuerte en algunos jóvenes. De este modo demuestran su independencia en proceso de desarrollo. Si admira a alguien drogadicto o que fomenta conductas nocivas, sólo observa si esa identificación interfiere con la escuela, lo aisla de sus amigos y los desconecta de la familia, en cuyo caso convendría revisar con un terapeuta la estrategia a seguir para prevenir alguna conducta más preocupante. Si observas que a pesar de admirar a dicho personaje nocivo, eso no interfiere con las relaciones mencionadas, entonces déjalo pasar. Puede ser producto de la protesta anteriormente mencionada.

"Ve mucha T.V. y juega demasiado con videojuegos" 25

Este punto no lo voy a abordar desde la perspectiva de cómo ver T.V. con los hijos o del impacto de los medios masivos y los video-juegos en la psicología de tus hijos porque dicho enfoque requiere su propio espacio. Lo voy a enfocar exclusivamente desde la pers-pectiva disciplinaria, o sea, de la estructura de horarios necesaria en una casa. Lo recomendable es dosificar el tiempo de consumo tele-visivo y de videojuegos y no utilizar la televisión como "niñera elec-trónica", salvo en circunstancias excepcionales. Muchos padres de familia ponen a ver televisión a sus hijos para quitárselos de encima o para poder dedicarse a otras actividades; eso no afecta mientras se recurra a este método de manera dosificada, sin abusar.

Establece reglas de uso y tiempo, asegurándote que se apeguen a ellas. Puedes colocar en un lugar visible un horario para señalar los programas que podrán verse durante la semana. Si prenden la T.V. en los horarios no autorizados, no pelees, limítate a preguntar *"¿qué acordamos esta semana sobre la televisión? Déjame ver el horario"*.

Si tu hijo se aferra y no le importa tu reglamentación, avísale: *"parece que has elegido perder el derecho a ver la televisión por hoy"*. No pelees ni insistas. Saca el aparato o desenchúfalo si tu hi-jo abusa de él y pasen más tiempo juntos haciendo otras cosas. Con-viene realizar una junta familiar para planificar en conjunto el hora-rio semanal de televisión. Déjalos elegir y utiliza el sentido común.

Cuando veas tele con él, no moralices ni sermonees. Pregunta cosas como *"¿qué hubieras hecho tú si te hubiera pasado eso?"*.

Utiliza el contenido mismo de los programas para propiciar el diá-logo. No critiques de mala manera sus programas favoritos porque despertarás sentimientos defensivos; mejor pregunta su opinión. Puedes criticar sutil o abiertamente los comerciales absurdos y acaba-rá teniendo un punto de vista crítico al respecto. Ríanse juntos de lo absurdo. No pelees con él y mucho menos te burles de sus gustos.

CULPAS

1. Consulta el siguiente **Catálogo de Culpas**
en el **Modo Manual de Consulta**
(sólo busca los temas que se apliquen a tu caso).

2. Estudia el texto correspondiente.

3. Con una amigo(a) o con tu pareja,
explícale a tu manera lo estudiado como si
fuera tu punto de vista al respecto.
Haz de cuenta que la persona con la que estás
haciendo el ejercicio es alguien que tiene tus
mismas culpas sobre el tema que escogiste
y ahora tú eres quien trata de convencerla,
con los argumentos estudiados,
para que modifique su punto de vista.

4. Platiquen luego sobre tu propia opinión
y los sentimientos que el tema te genera.

5. Repite el procedimiento con todos los
temas que disparen tu culpabilidad.

2.2 • HACIÉNDOTE CARGO DE TU CULPABILIDAD

La culpa es una de las emociones más destructivas, además de que es inútil. La culpa es muy diferente a la responsabilidad; sin embargo en muchas ocasiones se comete el error de utilizar ambos términos como si fueran sinónimos.

La responsabilidad significa responder por las propias acciones y sus consecuencias, buenas, regulares o malas; además, **es la manifestación de un incremento de la conciencia**, por lo que después de reconocer algo negativo en la propia conducta, este reconocimiento **puede conducir al cambio**. La responsabilidad conduce a una mejor conducta y al desarrollo personal.

La culpa significa observar solamente los aspectos negativos de la propia conducta; no permite ver lo bueno, sólo lo malo, además de que propicia la invención de "causas" ficticias sobre consecuencias que muchas veces no tienen nada que ver con la persona y su conducta. Se asume la culpa como causante de cosas que no tienen nada que ver con ella. La persona se desgarra y se desgasta repasando obsesivamente imágenes de su mala conducta, pero no es capaz de modificar dicha conducta indeseable. Lo sigue haciendo, a pesar de sentirse cada vez peor. **La culpa conduce a la autodegradación y al deterioro personal.**

Como mencioné anteriormente, muchos padres de familia sufren debido a un sinnúmero de culpas. Las mujeres mexicanas, y tal vez las latinoamericanas, han sido "educadas" para cargar con sus relaciones sobre la base de la culpa. Es un problema cultural que algunas mujeres conscientes han ido superando con mucho esfuerzo. Sin embargo, la loza que muchas conservan sobre sus hombros es tan insoportable, que no son capaces de ver alternativas que se hayan delante de sus ojos. La culpa ciega, impide la visión, y ésta impide a su vez la solución de situaciones, incluso, elementales.

CATÁLOGO DE CULPAS

A continuación te mostraré algunas de las situaciones que disparan la culpa de las madres y de los padres de familia en general. No pretendo que sea una lista completa; sólo he incluido los que he escuchado más recurrentemente. Recuerda que mientras no enfrentes y superes estos motivos de culpa, no lograrás ningún progreso con tus hijos, ya sean pequeños, adolescentes o incluso, adultos.

No están presentados en orden de importancia o recurrencia; simplemente localiza la conducta que se aplique a tu caso, ve a la página indicada y lee los comentarios correspondientes para determinar si se aplican a tu caso y trata de entender lo que estás haciendo al respecto.

Descubrirás que en ocasiones requieres de apoyo profesional para poder liberar la carga emocional que dispara tu culpa, pero un comentario que te proponga otro enfoque puede ser un buen principio.

"Lo he castigado en exceso" 1

Desafortunadamente se puede llegar a adoptar un estilo de trato más parecido al amaestramiento de una mascota que a la educación de un ser humano. Golpes, gritos y amenazas son prácticas cotidianas en algunos hogares, provocando rebeldía o temor patológico en sus hijos.

Incluso un amaestrador de mascotas profesional te podrá decir que la mejor forma de obtener resultados con los animales no es a través de los golpes. ¿Por qué entonces tendría que serlo con las personas? Trata de darte cuenta de que si tú fuiste "educado" a golpes, amenazas y gritos, y según tú no estás tan mal por ello, no puedes aferrarte a ese esquema de referencia para educar a un hijo en la actualidad. Tus padres lo hicieron porque no tenían otra referencia. Tú sí la tienes. Hay gran cantidad de opciones de libros, de cursos, de apoyo profesional, como para quedarse atorado en *"así me educaron a mí y dio buen resultado"*. Lo que dio éxito en el pasado, no necesariamente lo dará en el futuro. Hay que encontrar nuevas formas de hacer lo mismo... o de plano hacer cosas diferentes de diferente manera. Ese es el reto. Educar, sacar a la luz lo mejor de tus hijos, no lo peor. El castigo envilece, humilla y genera fantasías de venganza.

Si hasta la fecha has golpeado como "método educativo" cotidiano, te conviene estudiar a fondo este libro, asesorarte y empezar el cambio ya. Existen alternativas funcionales. El castigo funciona en apariencia pero a un costo demasiado elevado de resentimientos y temor. Cuando me preguntan qué hacer cuando ya se lleva mucho camino recorrido de esta manera, la mejor respuesta que he encontrado es: *"Si te equivocaste durante años, eso no justifica que tengas que seguir equivocándote. Deja de castigar. La transición puede que sea desconcertante para tus hijos y para ti mismo, pero vale la pena. Sólo deja de hacerlo; no te aferres al error y mucho menos intentes justificarlo y minimizarlo. Sólo deja de hacerlo."* Culparse no sirve de nada, mejor responsabilízate y modifica tu conducta.

2 "Lo estoy sobreprotegiendo"

Posteriormente verás que la sobreprotección es el otro extremo del amaestramiento mencionado en el punto anterior, pero es igualmente reactiva. Algunos padres que fueron maltratados reaccionan yéndose al otro extremo de manera compulsiva e irracional. Otros, simplemente temen tanto que algo les pueda pasar a sus hijos, que los asfixian con su protección.

Convertir a tus hijos en unos inútiles es una de las posibles consecuencias de la sobreprotección. Otra posible consecuencia es una inexistente tolerancia a la frustración, lo que disparará mecanismos tiránicos en ellos. Se vuelven verdaderos dictadores familiares. Como mencioné un tanto en broma en una conferencia: *"hace 15 años impartía pláticas para disminuir el maltrato a los niños, y hoy uno de los temas principales es cómo disminuir el maltrato a las madres por parte de sus hijos tiranos."*

Hay tantas corrientes y escuelas de pensamiento sobre educación, se ha culpado tanto a los padres sobre el futuro y la felicidad de sus hijos, que ahora no pueden ponerles ningún límite sin creer que los "están traumando". Un gran número de padres de familia tienen miedo a educar; de asumir su papel de adultos. Se trata de fomentar que los hijos crezcan, no que permanezcan en la infancia. La sobreprotección inutiliza; es una forma de decirle sin palabras a tu hijo que lo consideras inepto y sin capacidad de aprendizaje y madurez.

Una excusa para la sobreprotección es que se realiza por miedo a que le pase algo malo o que sufra. Es sensato cuidar de su salud y su bienestar, pero dentro de un marco relativamente seguro, debe permitírsele que desarrolle sus capacidades para enfrentar sus propios retos. Algunas madres sobreprotegen para, consciente o inconscientemente, crear una dependencia de sus hijos hacia ellas, con la fantasía subyacente de que de esa forma nunca serán abandonadas por ellos.

Fernando Savater es implacable al respecto:

"Para que una familia funcione educativamente es imprescindible que alguien se resigne a ser adulto. Y me temo que este papel no puede decidirse por sorteo ni por votación asamblearia. El padre que no quiere figurar sino como *"el mejor amigo de sus hijos"*, algo parecido a un arrugado compañero de juegos, sirve de poco; y la madre, cuya única vanidad profesional es que la tomen por hermana ligeramente mayor que su hija, tampoco vale mucho más. Sin duda son actitudes psicológicamente comprensibles y la familia se hace con ellas más informal, menos directamente frustrante, más simpática y falible: pero en cambio la formación de la conciencia moral y social de los hijos no sale demasiado bien parada. Y desde luego las instituciones públicas de la comunidad sufren una peligrosa sobrecarga. **Cuanto menos quieren ser los padres, más paternalista se exige que sea el Estado.** Se trata, como suele decirse, de una crisis de autoridad en las familias ...la autoridad no consiste en mandar: etimológicamente la palabra proviene de un verbo latino que significa algo así como *"ayudar a crecer"*.

"Los niños –esta obviedad es frecuentemente olvidada– son educados para ser adultos, no para seguir siendo niños. Son educados para que crezcan mejor, no para que no crezcan. Puesto que de todos modos, bien o mal, van a crecer irremediablemente. Si los padres no ayudan a los hijos con su autoridad amorosa a crecer y prepararse para ser adultos, serán las instituciones públicas las que se vean obligadas a imponerles el principio de realidad, no con afecto sino por la fuerza. Y de este modo sólo se logran envejecidos niños díscolos, no ciudadanos adultos libres." **Principio de realidad:** La capacidad de restringir las propias apetencias en vista de las de los demás, y aplazar o templar la satisfacción de algunos placeres inmediatos en vistas al cumplimiento de objetivos recomendables a largo plazo."

La sobreprotección no es educación aunque esté autojustificada por "el amor". De acuerdo con Savater, más vale que el principio de realidad sea ejercido con benevolencia familiar y no que la policía la ejerza por la fuerza. La inadaptación social y los problemas en las relaciones interpersonales son típicas de alguien que considera que el mundo debe girar a su alrededor y a su ritmo.

3 "No le he dado suficiente tiempo y atención"

¿Cuánto tiempo hay que dedicarle a los hijos? Cada hijo tiene diferentes necesidades de atención durante las diferentes etapas de su desarrollo. Algunos padres son adictos al trabajo; continuamente se llevan trabajo a la casa, creen que el mundo se va a derrumbar si no trabajan todos los días, y descuidan las relaciones con sus hijos. No es sensato trabajar tanto que no puedas disfrutar de los frutos de tu trabajo. Hay que intentar equilibrar los tiempos y realmente estar donde uno está, es decir: si estás en tu trabajo, realmente hazlo poniendo tu atención en ello. Pero cuando estés con tus hijos, desecha lo demás y dedícate a ellos de verdad. Escúchalos, diviértete con ellos, conócelos, disfrútalos. Ellos entenderán tus limitantes de tiempo si cuando estás con ellos, realmente estás con ellos. No "de cuerpo presente", sino de verdad aquí y ahora. En el caso de las mujeres que trabajan, deben organizarse para establecer la rutina de horarios y reservar tiempos para estar con los hijos y hacerlo de verdad, no hablando por teléfono mientras ellos ven TV. Conoce sus gustos, sus opiniones sobre lo que ven, sus juegos, etc.

Muchas mujeres trabajan y la tendencia va en aumento. ¿Vas a vivir culpándote de algo inevitable? No es sólo un problema de tiempo; es un problema de "comunicación light" cuando ésta se reduce a un interés superficial: "¿cómo te fue en la escuela?", "¿ya hiciste tu tarea?", "lávate los dientes", como únicos aspectos de contacto. Debes intentar establecer una comunicación profunda; una comunicación que sea sensible, que te permita acercarte afectivamente a tus hijos. Para lograrlo empieza por hablar menos, corregir menos y escuchar más. Trata de entender cómo piensa y trata de sentir lo que tu hijo puede sentir a su edad. Acepta sus comentarios y sus sentimientos. Escúchalo. Tócalo, acarícialo, que sienta tu contacto, tu cariño, y juega con él. Date a ti mismo(a) un descanso y disfruta con tu hijo sin tener que corregirlo todo el tiempo. Esto hará que disfruten el tiempo (poco o mucho) juntos.

"Lo ha educado el servicio doméstico" 4

Hay hogares en los que la persona encargada del servicio doméstico se vuelve un pilar. No exagero. Hay personas que de verdad actúan como las antiguas "nanas". Adoran a los niños y verdaderamente los cuidan y educan. Si tienes la fortuna de contar con alguien así, procúrala y consérvala. Nada más no exageres en la delegación de responsabilidades, pues cuando lo haces, inevitablemente la nana tendrá más peso que tú ante los ojos de tus hijos.

En algunos hogares, las nanas le enseñan a comer picante, le enseñan a caminar, sólo se duermen cuando los arrulla ella y también, cuando crecen, son sus confidentes. No te pongas celosa, sólo acércate lo suficiente para que tus hijos no tengan que sustituir a sus padres por su nana. Hay que acercarse a los hijos para que no sientan la carencia de sus padres y la necesidad de sustituirlos. No se trata de que despidas a la nana para que entonces "no interfiera", sino de apoyarte inteligentemente en ella. El problema son los extremos, no la nana.

Hay otras situaciones en las que a pesar de no contar con una nana, sino más bien con un desfile de sirvientas, "delegas" tus responsabilidades en ellas. Esto es altamente riesgoso. Hay muchos delitos de diversa índole debido al descuido de los padres a este respecto. Debes valorar muy de cerca y a lo largo del tiempo los niveles de confianza y de supervisión estrecha que debes ejercer sobre la relación de tus hijos con quienes te ayudan. Si no lo haces así, no te sorprendas de que tu hijo hable inadecuadamente o de que se chupe el pelo, o mastique con la boca abierta. Los modales se adquieren por imitación. ¿A quién está imitando tu hijo? A la persona con la que más tiempo pasa o a la persona con la que se identifica más. Por esto es tan importante volver al tema de la atención y del tiempo. No sólo es el tiempo; es la calidad y la profundidad de la comunicación establecida con tus hijos la que cuenta, y así, aunque no pases mucho tiempo con ellos, dicha comunicación permite que tu influencia sea cada vez mayor.

5 "He descuidado mis asuntos personales"

Te recomiendo no ser demasiado duro(a) contigo mismo(a) al respecto. Hay etapas en la vida y "tareas existenciales" en cada una de ellas. Son situaciones por las que debes de pasar y aprender. El problema es cuando no aprendemos o no las realizamos en su debido momento y nos quedamos con la fijación de tratar de realizarlas a destiempo. La edad de tus hijos cuenta mucho, tu edad también cuenta mucho.

Uno de los problemas más graves que yo observo en gran número de mujeres es que son madres propensas al sentimiento de culpa porque DONAN SU VIDA A SUS HIJOS. Donan su propia vida para que sus hijos "sean felices". Creo que este error es frecuente y trae graves consecuencias. Cuando pregunto en alguna plática *"¿Para quiénes de los presentes sus hijos son lo más importante en sus vidas?"* La mayoría levanta la mano. ¿Lo más importante en tu vida? ¡¿Lo más?! Cuidado. Es muy fácil dar el salto mortal de *"**lo más** importante hacia **lo único** importante"*. Hay personas que olvidan su rol de pareja para convertirse exclusivamente en "madres de sus hijos" ¿y la pareja? Bien, gracias.

Tarde o temprano los hijos se van a ir, para bien de todos, pues eso significa que tienen la salud física, psicológica y social para hacer su propia vida... pero ¿y tú? ¿tienes vida propia?

Tener una vida propia, un juego propio, independiente del de los hijos, es fundamental para ver las cosas en perspectiva e, incluso, para lograr una mayor estabilidad emocional. Tus hijos pueden ser una prioridad fundamental en tu vida; durante una época incluso pueden ser la número uno de la lista, pero no por eso debes descuidar otras prioridades como tu salud, tu trabajo, tu pareja. Por el bien de todos, debes tomar consciencia de no abandonar tu propia vida por la suya. No prepares el terreno para futuros resentimientos y reclamos basados en tu propio error. Tus hijos no te deben nada, así como tú no les debes nada a tus padres. Ellos hicieron lo que tenían que hacer. Cumple con tu papel de padre y deja que tus hijos asuman el suyo cuando les corresponda hacer su parte con tus nietos.

"Hay pleitos en el hogar" 6

Tenemos varias posibilidades para enfocar este problema:

A) Pleitos entre los padres, con los hijos como testigos.

B) Pleitos entre padres e hijos.

C) Pleitos entre hermanos.

D) Pleitos con familiares vinculados al hogar.

A) Pleitos entre los padres, con los hijos como testigos.

Esta es una variante conocida como violencia indirecta. La violencia no es ejercida contra los hijos directamente, sino contra alguien a quien ellos aman. Además, por lo general no pueden intervenir, pues cuando lo hacen salen mal parados.

Los pleitos son algo prácticamente inevitable en el hogar; en algún momento los habrá. Hay pleitos que pueden ser saludables y otros muy dañinos. Un pleito saludable entre la pareja es algo que hará crecer la relación, un pleito dañino es aquel que como resultado deteriora la relación.

Hay que aprender a pelear. Esto significa que haya un resultado más constructivo que destructivo.

La forma más que el fondo, es lo primero que hay que cuidar para aprender a pelear.

Durante la mayoría de los pleitos hay insultos y ofensas. Se "tira a matar", olvidándote de que "el rival" es tu pareja, tu familia. Aparentemente, eres "raptado" emocionalmente y aparece una extraña y sombría entidad que habla por ti, que dice y hace cosas que luego lamentas.

Se vale pelear en pareja; lo que no se debe permitir es traspasar ciertos límites en las palabras, las acciones y los modos, que deterioren más la relación. Además ¿peleas con tu pareja frente a tus amistades? La mayoría contestaría que no, sin embargo

¿por qué razón crees que tus hijos sí deben de soportar dichas situaciones?

Trata de pelear en privado, y si la situación explotó en algún lugar público o frente a los hijos, procura dejar para después el pleito. Contrólate y espera el momento de privacía. No se trata de que los hijos tengan la falsa percepción de que sus padres "nunca se pelean", pues es saludable que se percaten de que así como se pelean, saben llegar a acuerdos y arreglar las cosas. Se trata de tener respeto y consideración por los demás, los cuales no están obligados a soportar tus pleitos, incluyendo a tus hijos.

Para **aprender a pelear en pareja** te recomiendo lo siguiente:
1. Se puede comunicar lo que se siente, sin insultar ni decir groserías.
2. No se vale golpear o herir al otro ni física ni emotivamente.
3. No es válido dañar las propiedades del otro ni las propias.
4. Mientras uno habla el otro debe escuchar sin interrumpir, hay que dejar que acabe.
5. Todo pleito debe acabar en un acuerdo para corregir la situación que lo provocó.
6. Los pleitos deben tener un final; no se debe dejar de discutir para *"seguir mañana"*.
7. Un tema de pleito no se debe volver a tocar en pleitos futuros como referencia. La única excepción es cuando una de las partes no está cumpliendo lo acordado y se puede considerar que el pleito no ha terminado. Cuando se termine, no se debe tocar para volver a pelear por lo mismo en el futuro.

Si los pleitos ya tienen un color y tono peligrosos y se salen de tus posibilidades de control, conviene que consulten a un terapeuta especializado con el fin de que clarifiquen lo que están haciendo juntos como pareja.

Los hijos no tienen por qué soportar tu infierno conyugal.

B) Pleitos entre padres e hijos.

Hay ocasiones en que los padres y los hijos viven en un pleito permanente. El padre alega que su hijo es irresponsable; éste que su padre es intolerante. Ninguno escucha al otro.

Si no escuchas, o escuchas a medias mientras haces otras cosas cuando tus hijos intentan decirte algo, y les haces sentir que no te importa lo que les pasa ¿por qué supones entonces que les va a importar lo que tú les digas? Escúchalos con toda tu atención y trata de entender de qué se trata lo que te están diciendo, sin juzgar.

Los jóvenes padecen a los padres que se la pasan aconsejando y preguntando. Los regaños son insoportables casi para cualquier persona. A veces los padres somos odiosos. Aconsejamos sin que nos lo pidan; cuestionamos constantemente y luego nos preguntamos la razón por la que nuestros hijos no nos quieren contar sus cosas, o por qué explotan pleitos constantemente. En ocasiones, no aceptas ni siquiera los sentimientos que tus hijos expresan; si te dicen que alguien de la familia no les cae bien, los regañas; si lloran por algo, es común que les digas que no es para tanto. ¿Por qué te extraña que surjan los pleitos? Mejora la comunicación y los pleitos se reducirán.

C) Pleitos entre hermanos.

(Basado en la *Guía para Padres* de **Gerald Deskin** y **Greg Steckler**)
La pelea es una conducta que proviene de la necesidad de proteger algo o de conseguirlo. Un niño siente la necesidad de proteger, frente a un hermano invasor, sus juguetes, sus amigos o su relación con los padres, para conseguir mayor atención de la gente de su entorno. Cuando los padres no están presentes mental, emocional o físicamente, se incrementan las peleas entre los hijos. Puesto que son dependientes, los niños son muy sensibles a los estados de ánimo, las energías y las conductas de los padres. Con facilidad pueden percibir un cambio en la atención de éstos hacia ellos.

¿Qué hacer?:

1. Cuando se peleen, tú no pierdas la calma. De otra forma se disparará un pleito colectivo.

2. Si hubiera golpes, detén la pelea físicamente separando a los hermanos. Si es necesario ponlos en diferentes lugares hasta que se calmen y que puedan hablar entre sí.

3. Aclara qué está tratando de lograr cada uno de los hermanos con la pelea ¿Trata de lograr o de proteger algo? Pregúntale a cada uno *"¿qué quieres?"*

Las peleas relacionadas con el logro normalmente ocurren cuando quieren lo mismo al mismo tiempo:

• Retira el juguete o privilegio hasta que puedan negociar alguna opción. Sugiéreles algunas alternativas si ves que se atoran o se entercan.

• Fija límites de tiempo y has que se turnen en el uso del juego o del espacio. De preferencia que ellos acuerden dichos tiempos, si no lo hacen, entonces lo fijas tú.

• Propicia el intercambio de un juguete o privilegio por otro.

"COMPARTAN, NEGOCIEN, ACUERDEN, TÚRNENSE O... PRESCINDAN"

Un letrero con esta frase estaba escrito en el interior de la puerta de la habitación de cada hijo de una madre de familia con cuatro hijos que aprendieron a compartir realmente sólo cuando se convencieron, de manera absoluta, que prescindir era mucho peor que tener algo por lo menos parte del tiempo.

Las peleas relacionadas con la protección se presentan cuando un niño provoca a otro insultando, golpeando, invadiendo su espacio, tomando sus propiedades sin permiso, destruyendo algo que el otro está construyendo, interrumpiéndolo, etc. Cuando preguntes *¿qué quieres?* para aclarar lo que los hermanos están tratando de lograr con el pleito, vas a obtener respuestas como *"quiero que me deje en paz"*, *"quiero que se salga de mi cuarto"*, *"que deje de tocar mis cosas"*, *"que deje de molestarme"*, etc., cuando el pleito tiene como finalidad la protección.

Muchas veces el hermano pequeño es el que molesta al grande, pues el chico desea copiarlo o competir con él para sentirse más grande, más fuerte o más maduro. En realidad lo que quiere es la atención del grande.

- Reconoce el derecho que cada hijo tiene a la privacidad, las pertenencias, el espacio o lo que esté en cuestión.
- Comunícales claramente que todos tienen los mismos derechos al respecto.
- Establece límites al niño que no está respetando estos derechos; le gusten o no, sea con o sin berrinche.
- Enséñales modales; *"por favor"*, *"gracias"*, *"¿puedo entrar a tu cuarto?"*, *"¿me prestas tu lápiz?"*, *"perdón"*, son palabras mágicas para conseguir lo que se desea del otro y muestran una actitud de respeto por los límites.
- Platica con ellos sobre este punto por separado. Dedica un tiempo a cada uno y toca el tema sin sermonear. Dialoga sobre lo importante del asunto para vivir en paz y a gusto.

¿Cuándo hay que dejar que ellos solos arreglen sus pleitos?
- Cuando no te piden interceder.
- Cuando no hay golpes ni insultos.
- Cuando observas que ellos solos arreglan la mayoría de sus desacuerdos.

¿Cuándo hay que intervenir?
- Cuando observas que las cosas se están caldeando demasiado.
- Cuando hay golpes e insultos.

• Cuando se prolonga demasiado un desacuerdo.
• Cuando alguno está perdiendo el control emocional.

Cuida de que no te incluyan en la discusión.

Cuando tú tomas una decisión para resolver el pleito, indícales lo que deben hacer, no se los pidas como un favor.

No ofrezcas demasiado tu ayuda. Antes de intervenir asegúrate de que lo haces porque no pueden resolverlo solos.

D) Pleitos con familiares vinculados al hogar.

Cuando ocurren pleitos con familiares que frecuentan el hogar, como tíos, abuelos, cuñadas, etc., es importante no contaminar a los hijos con tus posibles rencores hacia ellos. Recuerda que ellos no se pelearon con tus hijos.

Sólo aclara que hubo un desacuerdo y que esperas que luego se arregle. No les hables mal de ellos, pues si lo haces, en caso de una reconciliación, no podrán verlos de la misma manera.

Si tus hijos son muy pequeños y preguntan la razón por la que ya no van a la casa o por qué ya no se frecuenta a esa persona, sólo diles que hubo una discusión y que cuando se reconcilien volverá todo a la normalidad; no entres en detalles.

Si son más grandes, no permitas que tomen partido. Es tu pleito, no el de ellos.

Si el pleito se origina con esa tercera persona por su intervención con alguno de tus hijos, cuando el tema surja con tu hijo, sólo aclárale que te molestaste porque no te gusta que intervengan en su educación y que ojalá puedan reconciliarse pronto. Punto. No acuses a esa persona de "metiche", ni la descalifiques de tal manera que no puedan luego reestablecer la relación.

Recuerda que son parte de tu familia, o de la de tu pareja, y aunque de lejos, tal vez algún día haya algún contacto o incluso se pueda rescatar la relación.

"No pude darle un padre" 7

Las madres solteras son cada vez más frecuentes en la sociedad actual. Los modelos familiares nucleares tradicionales constituidos por "Padre–Madre–Hijos" ya no son los únicos existentes.

En este caso no podemos hablar de "familias disfuncionales" pues estrictamente hablando, hay pocas "familias funcionales", incluso entre las que siguen el modelo tradicional anteriormente mencionado.

Sin embargo, muchas veces existe culpabilidad por "no haberle dado un padre a mi(s) hijo(s)", y es un sentimiento que hay que tratar más a fondo. Incluso, si fuera necesario, a nivel terapéutico.

"Lo que a ellos (tus padres) les han hecho te lo están haciendo a ti. A menos que te rebeles, a los hijos que vas a tener has de hacerles lo mismo. Los sufrimientos familiares, como los eslabones de una cadena, se repiten de generación en generación, hasta que un descendiente, en este caso quizás tú, se hace consciente y convierte su maldición en bendición."
—Alejandro Jodorowsky

Solemos repetir los patrones de conducta de nuestras familias de origen. En ocasiones exageramos, sobredimensionamos situaciones que para nuestros hijos no tienen el peso o la importancia que nosotros les damos. Definitivamente es importante que un(a) hijo(a) tenga contacto con una imagen masculina, pero si no es la de su padre biológico o adoptivo, habrá algún familiar que la cubra o tu hijo mismo la encontrará en algún maestro o amigo de la casa.

Además, mujer, a ti no te corresponde *"darle un padre"* a tus hijos, pues la paternidad que ejerce un hombre no ocurre porque una mujer se la otorgue a sus hijos. El hombre asume su responsabilidad como padre sobre la base del amor directo entre él y sus hijos, con o sin mujer de por medio. Hay muchos casos de "padres" que no lo son a pesar de constituir una "familia integrada".

8 "No pude darle un buen padre"

La diferencia entre *"no darle un padre"* y *"no darle un buen padre"* consiste en que en el primer caso estamos hablando de una situación en la que por principio de cuentas no existió la figura del padre; no lo hubo, ni bueno, ni malo. Para el hijo no existe esa experiencia; la conoce por comparación, basado en la observación de las familias de sus amigos o parientes.

En el segundo caso estamos hablando de que sí existió dicha figura y el padre no ejerció su paternidad de manera responsable y constructiva.

No es función de la mujer *"darle un buen padre"* a sus hijos. Con ser madre tiene más que suficiente para ocuparse, como para cargar además con la culpa sobre un hecho del que no puede tener control. El "control" que pudo tener al respecto consistió en elegir a su pareja para tener un hijo, e incluso en esta elección, no siempre se puede saber cuál será su desempeño como padre. A lo mejor era una excelente pareja y un mal padre. También ocurren casos en los cuales a pesar de ser una pésima pareja, resulta ser un padre responsable y cariñoso.

Por lo general, el concepto "ser un buen padre" está poco y mal definido. ¿Qué es ser un "buen padre"? ¿Qué características tiene? ¿Ya las definiste con la suficiente claridad como para evaluar el desempeño del padre de tus hijos y el de otros padres? Porque si tienes en mente respuestas como *"un buen padre es ser como lo fue el mío"* o *"que cumpla con sus obligaciones"*, estás en el primer caso, estableciendo un estándar irreal, que además sólo tú conoces y en el segundo caso, estás reduciendo la función de un padre a la de proveedor. También hay buenos proveedores que son malos padres.

Si sientes culpabilidad por este punto, estás enfocando mal tu propio rol como madre.

Vale la pena mencionar que una mamá que actúa sola, sin pareja, ya sea por ausencia física o emocional de él, sólo puede ser mamá. No será "también padre", así como un padre solo no podrá nunca "ser madre".

Estas serán carencias que el propio hijo o hija tendrá que resolver por sí mismo(a).

No intentes ser la "madre maravilla". Relájate; sólo puedes ser madre, lo cual no es poca cosa.

Trata de desempeñar dicho papel con inteligencia, no cargada de culpas generadas por situaciones que no están bajo tu control.

9 "Nos divorciamos"

Cualquiera que haya pasado por un divorcio, independientemente de cómo haya sido el caso o las causas y sus resultados, estará de acuerdo con la afirmación de que es una de las peores experiencias por las que se puede pasar.

Al final del incidente, algunos divorciados(as) experimentan una liberación, otros(as) se quedan atorados en el resentimiento y el odio. Sin embargo, estoy hablando de que el proceso, independientemente de su desenlace, es profundamente doloroso.

Algunos divorcios ocurren emocionalmente antes de que se formalicen legalmente. Otros divorcios completan el proceso legal pero emocionalmente las personas siguen casadas. Este tema tiene muchas vertientes, sin embargo por razones temáticas de este libro, voy a enfocarlo a la culpabilidad que genera una situación así hacia los hijos.

Por un lado, el dolor que puedas estar sintiendo no te justifica para utilizar a tus hijos como armas para herir a tu ex pareja. Por otro lado, tampoco puedes asumir toda la carga de un divorcio y deteriorar tu salud emocional al grado de culparte por todo lo que no haya funcionado en la relación y proyectar esta pesada loza en el trato y la educación de tus hijos.

Opino que toda persona que pasa por un divorcio debería recibir ayuda terapéutica para poder cerrar esa etapa de su vida de manera más saludable. No creo que sea una experiencia que alguien pueda atravesar sin salir lastimada en alguna medida. Son vivencias que requieren de un procesamiento que rebasa la capacidad de la mayoría para asimilarlo sin ayuda profesional.

Sin pretender que sea un consuelo de tontos, el índice de divorcios es cada vez mayor. Obsérvalo en la escuela de tus hijos. Esto te lo digo para que no creas que tus hijos serán unos "apestados" por ser hijos de padres divorciados.

Seas hombre o mujer, sométete a una terapia por el tiempo necesario hasta que realmente puedas separar tu relación fallida de la educación de tus hijos. Al final de cuentas, en la gran mayoría de los casos, el divorcio es entre las parejas, no entre los padres y sus hijos.

Es muy importante no bloquear la relación de tus hijos con tu ex pareja pues eso es algo que los hijos no te perdonarán. No les hables mal de él o de ella pues estarás atacando a alguien que ellos aman y hacia quien no tienen tu misma carga de resentimientos y experiencias amargas. Si te empeñas en agredirlo(a) frente a ellos, lo único que generarás es incomunicación hacia ti y te ocultarán su relación con él o ella para evitar seguir escuchando tus ataques hacia alguien que aman a pesar tuyo.

*No contamines **su** futuro con **tu** pasado.*
No debes convertir tu historia en su porvenir.

En la parte final de este libro encontrarás orientación para aplicar una Disciplina Inteligente en circunstancias especiales, como el divorcio, pero por lo pronto puedes avanzar mucho si eres capaz de comunicarte civilizada y respetuosamente con tu ex pareja para acordar asuntos relacionados con tus hijos.

Horarios, médicos, escuelas, permisos, son algunos de los aspectos que tendrás que negociar te guste o no. No lo hagas más difícil de lo que ya es. Esta es una situación muy propicia para crear un infierno insufrible. Ojalá evites su aparición. Si ya lo estás padeciendo, trata de salir de él sacando adelante a tus hijos.

Si existe algo realmente inmoral, es el involucrar a los menores en pleitos que no son suyos, en pleitos de adultos.

En teoría, el adulto es alguien que tiene cierta fortaleza emocional para resolver sus propios conflictos; dicha fortaleza se adquiere a lo largo de los años. ¿Por qué les pides a tus hijos menores respuestas de adulto que a ti te han costado tantos años? No expongas a tus hijos a una situación que los obligue a elegir entre alguno de ustedes.

Si en algún momento ellos desean vivir con la expareja, déjalos hacerlo así y experimentarlo. Si están mejor allá, por algo será. Tus hijos no son tontos. Si están mejor contigo, que lo respete tu expareja. Puede ser saludable llegar a un acuerdo para vivir alternadamente por temporadas con cada uno, siempre y cuando todos lo acepten.

Dales y date tiempo para digerir el cambio. Ya suficiente dolor produjo la separación para que les agregues tu sufrimiento y los sigas lastimando. Para ellos es más saludable ver a sus papás separados pero emocionalmente bien, que juntos pero mal.

Si el divorcio no produce este bienestar en ambos cónyuges, deberían plantearse, con la ayuda de un terapeuta profesional, la posibilidad de una reconciliación.

Si el divorcio no produce este bienestar en uno de los dos y en el otro sí, deberían plantearse, también con la ayuda de un terapeuta profesional, la mejor forma de terminar el ciclo. Ya sea mediante ayuda conjunta o tratándose por separado.

A tus hijos, dales tiempo para sanar y verás que lo aceptarán gradualmente y para bien.

"Es hijo único" 10

¿Y...? ¿Cuál es el problema?

Por favor no caigas en la trampa de creer en ideas que no están comprobadas. Se han realizado algunos estudios en hijos únicos y no hay pruebas contundentes que indiquen que ello afecte la psicología personal de tal manera que por eso se convierta en alguien egocéntrico, incapaz de compartir y con una baja tolerancia a la frustración.

No es cierto que tu hijo esté condenado a sufrir problemas de socialización por ser hijo único. Son meras especulaciones no comprobadas. ¿Vas a cargar con una loza adicional de culpabilidad por suposiciones no comprobadas? No te lo recomiendo.

La personalidad de tu hijo estará determinada por una gran cantidad de factores: temperamento heredado, genética, medio ambiente, estimulación temprana, alimentación, inclinaciones y preferencias, talentos, experiencias placenteras y dolorosas, interpretación propia de esas experiencias, inteligencias múltiples, y si gustas le agregamos posibles características espirituales propias, sólo por mencionar algunos de los principales aspectos que influyen en ello. Te aseguro que el hecho de que sea hijo único, no influirá de manera decisiva en la formación de su personalidad.

Claro que tener hermanos ayuda a aprender a compartir, pero recuerda que eso debe ser fomentado de todas formas, con hermanos o sin ellos. Los hermanos también ayudan para repartirse los embates de las neurosis de los padres; no todo se concentra en un sólo hijo.

Los hermanos pueden llegar a convertirse en excelentes amigos, en verdaderos hermanos, no sólo biológicos, sino también en hermanos espirituales... sin embargo, esto no ocurre con frecuencia. La experiencia de vivir con hermanos es deseable pero no indispensable para la salud emocional de un ser humano.

Una precaución que te sugiero tomar si tienes un hijo único, es la de fomentarle el contacto diario con niños y niñas de su edad para que no viva sólo en entornos adultos, pero no exageres: tener hermanos es algo deseable, mas no indispensable.

11 "No quise tenerlo"

Si una condición como ésta te atormenta, es señal inequívoca de que requieres ayuda terapéutica profesional, pues tal vez aún no resuelves un problema que surgió desde el embarazo y sigues generándote más y más carga emocional negativa, la cual no será eliminada sin que la desahogues de alguna manera que te permita cerrar la herida; cerrar el "capítulo" de esa etapa de tu historia personal.

Independientemente de las circunstancias de tu embarazo, de tu parto y de tu vida con tu hijo(a), estás negando un principio de realidad contundente. Tu hijo existe, es un ser humano con sentimientos, necesidades y capacidades, que requiere de tu apoyo por lo menos los primeros veinte años de su vida. Las fantasías que tengas alrededor del "no quise tenerlo(a)" son eso: fantasías. Tu hijo(a) es una realidad y puede ser igualmente real que su existencia te ayude a aprender a ser mejor persona. Inténtalo.

No culpes a tu hijo por todo lo que dejaste de hacer debido a su llegada. En la vida no hay premios ni castigos; sólo consecuencias.

Culpar a alguien por impedirte hacer lo que deseas, es un pretexto para no enfrentar que no tomaste la iniciativa para hacerlo. Punto. El resto son sentimientos de autojustificación y autocompasión.

Cuando algo, o en este caso, alguien irrumpe en tu vida sin estar planificado, efectivamente hay desviaciones y retrasos en tus planes, pero de ahí a renunciar a tus aspiraciones hay mucha diferencia.

Por otro lado, si tu situación es la de sólo sentirte culpable por no haber deseado a tu hijo(a) cuando te embarazaste y justamente ahora que lo adoras, te produce remordimiento haberlo rechazado, creo que lo mejor es asesorarte de un profesional que te ayude a liberar dicha culpa, empezando por reconocer tus sentimientos de aquella época y luego asumir tus sentimientos actuales. Busca y encuentra a alguien que te ayude a dejar el pasado en el pasado y a percibir y disfrutar tu presente que, de hecho, es lo único que tienes.

"Quiero más a uno que a otro" 12

Esta situación se presenta más comúnmente de lo que te imaginas. La compatibilidad de personalidades, la historia mutua, el género, son entre otros posibles factores, aspectos que influyen para que con un hijo establezcas relaciones más profundas que con otro. El inclinarte más por un hijo es normal; la culpa debido a esto (como todas las culpas) es inútil.

Seguramente por cada uno de tus hijos eres capaz de hacer muchas cosas; indudablemente los quieres a todos; sin embargo, como en todas las relaciones humanas, hay gente con la que fluyes y tienes más afinidad que con otra. Esta preferencia no expresada con palabras, pero percibida por los hijos a través de tus actitudes y actos, puede generar rivalidad y celos entre ellos, lo cual es algo delicado que debes trabajar para disminuir su impacto negativo en la dinámica familiar y en sus sentimientos.

Te sugiero que dediques un tiempo por separado a cada uno de tus hijos. Dales un espacio propio. En otro momento puedes fomentar la convivencia general. Equilibra los tiempos con todos. Si te gusta pasar mucho tiempo con uno y no tanto con otro, debes hacer el esfuerzo de equilibrar los tiempos. Al hijo en desventaja, busca acompañarlo en actividades de su interés, aunque no lo sean tanto para ti. Platica sin sermonearlo. Escúchalo un poco más sin enjuiciarlo.

Nunca compares a un hijo con el otro, pues en lugar de funcionar como estímulo de superación, funciona como factor de resentimiento hacia ti y hacia el hermano puesto como modelo a imitar.

Procura que tu afecto, tus caricias, detalles, regalos o atención sean repartidos equitativamente, aunque te cueste trabajo hacerlo así.

En lugar de preocuparte, ocúpate en convivir con tus hijos. No sólo les digas que los quieres a todos por igual, demuéstraselos con actos, dedicándoles espacio y compartiendo tiempo.

Tú mismo(a) te sentirás más a gusto contigo mismo(a).

13 "No es feliz"

Te sugiero tener precaución ante el concepto de felicidad. Los grandes filósofos de la humanidad han tratado el tema y no parece haber un punto de vista unificado sobre lo que significa la felicidad.

No pretendo resolver esta cuestión de la felicidad; prefiero recomendarte algunas lecturas de los grandes pensadores al respecto. Lo que sí me interesa es hacer un comentario que te ayude con esa carga que puedes traer a cuestas respecto a *"hacer feliz"* a alguien más. Plantearse el *"hacer feliz"* a alguien más, es un error de enfoque muy extendido en nuestra sociedad; *"quiero hacerte feliz"*, *"me caso para que mi esposo me haga feliz"*, *"quiero hacer felices a mis hijos"*, es tener una visión desenfocada del asunto. ¿Por qué? Porque la felicidad es un proceso subjetivo. Es algo que a cada quien le corresponde elaborar.

Hay gente que cree que con tener dinero logrará la felicidad, hay otros que tienen dinero y no son felices. Hay un vacío insatisfecho permanentemente; un vacío interno que se trata de llenar con objetos y compras. El despilfarro es un indicador o un síntoma de dicho vacío existencial. Este no es un discurso contra lo material; es un comentario contra el desperdicio.

Hay otros que fundamentan "su felicidad" en la relación con otra persona: un hijo, una pareja, otros familiares. Son CODEPENDIENTES, es decir dependen del otro para poder "estar bien" o "estar mal".

La codependencia se va generando a lo largo de los años y fomenta relaciones dañinas, agobiantes, asfixiantes para quien sufre los embates del codependiente, el cual utiliza diversos mecanismos para controlar a los demás: chantaje, manipulación, agresión abierta, agresión encubierta, ayuda amañada ("te ayudo si dependes de mí"), entre otros recursos.

Volviendo a los hijos: ¿quién te dijo que la felicidad de tus hijos depende de ti? Con mucho trabajo podrás llegar a clarificar lo que para ti significa felicidad.

Con más trabajo podrás iniciar un estilo de vida que esté alineado con tu concepto de felicidad.

Con muchísimo más trabajo, podrás desarrollar la sabiduría personal para convertir tu vida en un arte del buen vivir.

¿Vas además a trabajar en la felicidad de tus hijos?

¿Tu felicidad es la felicidad de ellos? ¿y acaso sabes qué concepto tienen ellos de felicidad?¿No será que esperas que tus hijos se comporten de acuerdo con tus expectativas y luego calificas dicha conducta como "su felicidad" y "su bien"? Entonces, ¿de quién es la felicidad que persigues en tus hijos? ¿tuya o de ellos?

Perdón por cuestionarte tanto, pero en verdad algunos padres y madres llegan a adoptar conductas realmente absurdas y entrometidas en la vida de sus hijos y justifican su intromisión arguyendo que "es por su bien y su felicidad".

Cada ser humano es responsable de su felicidad o de su infelicidad.

Tú, como madre o padre, limítate a darle lo que puedas para generar un entorno propicio a su pleno desarrollo físico, psicológico, emocional y social. Hasta allí llega tu papel. El resto será responsabilidad de tu hijo(a).

Hay adultos que son felices a pesar de haber tenido padres nefastos.

Hay adultos infelices a pesar de haber tenido buenos padres.

La felicidad es algo tan personal y subjetivo, que planteártela como una de tus metas, te llevará invariablemente a la frustración.

Es probable que cuando crezca, su idea de felicidad no coincida con la tuya. Se irá de viaje, conocerá a su pareja, estudiará lo que le guste, vivirá de acuerdo con su propio estilo... y tú y tus ideas sobre "su felicidad" no necesariamente se ajustarán a las suyas.

Cuidado con caer en la trampa de *"darle todo lo que yo no tuve"* para hacerlo feliz. Los niños que tienen "todo" son consumistas insaciables. No aprecian el valor de las cosas importantes en una jerarquización de valores humanistas. No confundas su felicidad con el bienestar inmediato producido por llevarlo a todos los lugares y espectáculos que desea, por comprarle los juguetes y ropa que se le antoja.

El bienestar por satisfacer deseos, no es felicidad.

La felicidad es una experiencia profunda determinada por el proyecto de vida de una persona, el cual le da sentido a su existencia.

La felicidad de tus hijos, de cualquier ser humano, estará estrechamente vinculada a la posibilidad de manifestar sus talentos, sus múltiples inteligencias, de tomar sus propias decisiones, de ejercer su libertad responsablemente... no de tus ideas y esfuerzos por darle algo que a lo mejor ellos no desean.

"No les he podido dar lo mejor" 14

Existe una gran influencia de la publicidad en el concepto que se tiene sobre "lo mejor". A veces, "lo mejor" es gratis. Muchas veces "lo mejor" corresponde a una escala material medible en costo o dinero que se desembolsa para adquirir un producto de calidad superior. Sin embargo, te sugiero tengas precaución para no caer en "clichés" o conceptos vacíos basados en patrones compulsivos de consumo.

En algunos entornos, los jóvenes platican casi exclusivamente de las marcas de ropa, autos, rines y llantas, lentes obscuros, "antros", estéreos, etc. como si la marca en cuestión les proporcionara lo que su personalidad no les aporta: seguridad personal. Y esto proviene, en gran medida, de estructuras familiares donde les "han dado siempre lo mejor". Las pláticas en reuniones de adultos, con demasiada frecuencia caen en el mismo tenor: sólo hablan de sus automóviles, de sus propiedades, o del "shopping" que acaban de hacer. Demostrar, aparentar, es lo más importante para fines de estatus social.

Cuando hablamos de darles lo mejor a nuestros hijos al educarlos, debemos considerar otros aspectos más amplios y profundos y no centrarnos únicamente en lo material y en los patrones de consumo. No quiero caer en una postura radical "anti consumista"; sólo pretendo marcar una sana distancia entre lo que alguien ES y lo que TIENE. Vale la pena rescatar algo de la filosofía humanista cuando estamos embarcados en la educación de valores y no basar tu desempeño como madre o padre de familia exclusivamente sobre el criterio de "darle económicamente lo mejor a mis hijos". Pregúntate ¿lo mejor según qué publicista?, ¿lo mejor según los intereses de qué empresa?

Está muy bien disfrutar lo que se tiene; efectivamente es un placer disfrutar de productos de alta calidad, pero hay que conservar la posesión de las cosas, no que las cosas lo posean a uno... y esto es algo que hay que inculcar en los hijos: uno no ES lo que TIENE. No se ES en función del TENER. Uno puede ampliar su capacidad para TENER después de haber desarrollado primero lo que uno ES.

15 "Nació con algún problema"

Cuando un hijo nace con algún problema de salud por causas congénitas, la culpa y las acusaciones encuentran un terreno fértil para hacer su aparición. Ante este hecho, lo primero que algunos padres hacen es revisar rápidamente si hay algún antecedente de ese mal en su propia familia, y si no lo hay, de inmediato culpan a la familia de la pareja. Si hay antecedentes en la propia, entonces puede dispararse un mecanismo de negación o sobreviene un derrumbe personal.

Adicionalmente a las acciones que se adopten para enfrentar la situación médica del hijo en cuestión, es necesario un proceso terapéutico inmediato y profundo entre la pareja, pues la relación corre el riesgo de romperse debido a recriminaciones no siempre expresadas. Resentimientos y culpas calladas, que tarde o temprano desembocan en rupturas dolorosas. Además, si los padres no se someten a un tratamiento clínico, y no se elabora el proceso de asimilación y aprendizaje, el hijo en cuestión se volverá el arma que cada uno puede utilizar para lastimar al otro. Las causas del problema congénito no es el punto relevante en la relación familiar; lo importante para dicha relación es el procesamiento de la realidad con la que cada uno se ve confrontado. Suficiente dolor tienen ambos padres por la circunstancia de que su hijo no esté bien como para tener que soportar además la carga de recriminaciones de la pareja. Si antes de esto se amaban, vale la pena apoyarse para salir adelante juntos. Si ya no se amaban, entonces no hay que utilizar esto como pretexto para terminar una relación que ya estaba rota de antemano. Acordar con la pareja las acciones para ayudar al hijo, tomar decisiones conjuntas, platicar a fondo sobre sus respectivos sentimientos, son algunos de los aspectos indispensables para que una pareja supere una experiencia tan dolorosa y se sobreponga.

Cuando el hijo nace con problemas de salud o incluso si fallece, la situación amerita un tratamiento psicológico urgente. No se debe posponer, pues si se posterga el tratamiento, casi con toda seguridad la relación terminará por el cúmulo de resentimientos que pueden generarse en situaciones así.

16 "Es anoréxica/bulímica/obeso(a)"

Anorexia: Trastorno de la conducta alimentaria que consiste en **no comer**, al grado de afectar las principales funciones del organismo y cuyo desenlace es la muerte si no se trata adecuada y oportunamente.

Algunas de sus características principales son:
- Delgadez extrema.
- Coloración grisácea de la piel.
- Ansiedad.
- Debilidad extrema.
- Menorrea (suspensión del ciclo menstrual)
- Vergüenza por su cuerpo.

Puede presentarse acompañada de un consumo inmoderado de anfetaminas para adelgazar. Es un trastorno que principalmente le ocurre a las mujeres a partir de la adolescencia y muchas veces se desarrolla en complicidad con alguna amiga que padece el mismo trastorno.

Bulimia: Trastorno de la conducta alimentaria que consiste en **ingerir cantidades inmoderadas de alimentos**, provocándose intencionalmente vómito, diarrea y orina excesiva con el fin de expulsar lo consumido. Su desenlace puede ser la muerte, debido a desgarres en el esófago, a los vómitos incontrolados y a la afectación de las principales funciones del organismo.

Algunas de sus características principales son:
- Delgadez extrema.
- Obsesión y compulsión por la comida.
- Huída al baño después de cada comida (para producirse el vómito)
- Vergüenza por su cuerpo.

Al igual que en el caso de la anorexia, la bulimia se presenta principalmente en mujeres a partir de la adolescencia y muchas veces en complicidad con alguna amiga con el mismo trastorno.

Obesidad: Trastorno de la conducta alimentaria que consiste en **ingerir cantidades inmoderadas de alimentos**, generando daños en las principales funciones del organismo debido al sobrepeso. Su desenlace puede ser la muerte prematura por paro cardíaco debido al exceso de grasa y colesterol en la sangre, las arterias y las venas.

Algunas de sus características principales son:
- Sobrepeso.
- Sudoración excesiva.
- Renuencia al esfuerzo y al ejercicio físico.
- Vergüenza por su cuerpo.

Se presenta en hombres y mujeres por igual y a partir de cualquier edad. Muchas veces es propiciado por los mismos padres que padecen el mismo trastorno. En otras ocasiones, puede deberse principalmente a un problema del sistema endocrino.

Independientemente del trastorno de conducta alimentaria que llegara a presentar alguno de tus hijos, el punto principal es reconocer que ninguno de estos problemas se resolverá con acciones disciplinarias de tu parte.

Estos trastornos deberán ser tratados por especialistas en cada caso.

Constituyen problemas que están más allá de lo que cualquier madre o padre de familia puede resolver con sus propios recursos. Reconocer este hecho es el primer paso para ayudar a la rehabilitación real de tu hijo(a).

No trates de resolverlo con dietas sacadas de revistas, ni de pláticas con amigas, ni incluso con nutriólogos, puesto que estos trastornos tienen un origen principalmente emocional y requieren un manejo profesional y especializado. Existen clínicas especializadas, así como terapeutas que pueden asesorarte sobre la mejor forma de iniciar la rehabilitación.

"La palabra
más acertada
pasa desapercibida
cuando el oyente
es sordo."

—Goethe

2.3 • PROGRAMACIÓN EMOCIONAL Y CONDUCTAS ABSURDAS

Tarde o temprano, como madre o padre de familia te enfrentarás a conductas inaceptables de tus hijos y, si estás honestamente comprometido(a) en su educación, te sentirás exigido y presionado contigo mismo para responder lo mejor posible.

Y para ello, es importante que tengas claros los conceptos. Puede ser que en algunas ocasiones reacciones mal y tarde. Y eso se debe a que te falta pensar con claridad.

Es posible que alguien actúe absurdamente a pesar de ser una persona inteligente y preparada... si observas detenidamente tus conductas absurdas, podrás encontrar que éstas se dan con respecto a determinadas situaciones y no a todas (afortunadamente), afectando ciertas áreas específicas de tu vida.

Es lo curioso y lo paradójico de la conducta humana: podemos ser brillantes en un área y torpes y absurdos en otra. Puedes ser excelente en tu trabajo y, sin embargo, ser un desastre administrando el dinero que ganas. Así también hay genios financieros que no tienen idea de qué hacer para educar a sus hijos y acercarse a ellos...

En ocasiones los padres de familia actuamos absurdamente. Tal vez no sea tu caso, pero revísalo por si acaso.

¿De dónde proviene una conducta absurda? ¿Por qué alguien inteligente actúa brillantemente en un área y de manera tan absurda en otra? En gran medida, tus conductas están determinadas por tus ideas, conceptos y emociones sobre las cosas.

Existe una especie de programación emocional, que podemos definir como el conjunto de decisiones y creencias que desde pequeño te formas acerca de ti mismo(a), los demás y el mundo en general conforme vas creciendo.

Cada día que vives, vas acumulando experiencias y cada experiencia te ayuda a conformar decisiones acerca de ti mismo, de la gente y de la vida. De la misma manera en que se programa una compu-

PROGRAMACIÓN EMOCIONAL Y CONDUCTAS ABSURDAS

1) EXPERIENCIA DOLOROSA Y CONFUSA

↓

2) INTERPRETACIÓN ERRÓNEA

↓

3) DECISIÓN ABERRANTE

↓

4) PROGRAMACIÓN EMOCIONAL

↓

5) MALENTENDIDO DEVASTADOR SOBRE UN TEMA FUNDAMENTAL

↓

6) PERCEPCIÓN ALTERADA

↓

7) ACTITUD Y EMOCIÓN EQUIVOCADA

↓

8) CONDUCTA ABSURDA

tadora con información básica o un sistema operativo, tú programas tu mente con estas creencias o interpretaciones, y este "programa" afecta tu forma de sentir, de pensar y de comportarte a lo largo de la vida.

Tus experiencias de vida ocasionan que tomes ciertas decisiones acerca de ti mismo y sobre los demás.

La combinación de todas las decisiones constituyen tu **programación emocional**, la cual hace que asumas ciertas actitudes sobre determinados temas fundamentales.

El problema es que, en ocasiones, las experiencias que se tienen son tan dolorosas que las interpretaciones que se realizan para tratar de entenderlas son absurdas, generando así malentendidos que podemos llamar devastadores por el terrible impacto nocivo que tienen sobre nuestras vidas.

Estos **malentendidos devastadores** operan sobre temas fundamentales, áreas muy importantes que abarcan un gran territorio de nuestras metas, sueños y deseos.

Hay ideas tan fundamentales que las utilizas, incluso, para filtrar tus percepciones. Es decir, percibes los elementos que están dentro de la idea sobre la que piensas, y no percibes lo que está fuera de ella. Es como cuando buscas un botón blanco en un cajón lleno de cosas; no te darás cuenta de todo lo que hay en ese cajón y tu percepción se reducirá al objetivo "botones blancos", o si acaso se ampliará al genérico "botones" y no te fijarás en la gran cantidad de cosas que contiene el cajón "porque no las necesitas, tú sólo necesitas un botón blanco". **Percibes exclusivamente lo que buscas y no percibes todo lo que esté fuera del campo de dicha búsqueda.**

Todos poseemos una serie de conceptos básicos que determinan nuestras percepciones, actitudes, emociones y conductas. Son **Conceptos Guía** que sirven para enfocar las percepciones, pero que también pueden bloquearlas al excluir aquello que no esté relacionado

Malentendido devastador sobre el tema fundamental: EDUCACIÓN

Tema
Fundamental:

Educación → Malentendido → Conducta
devastador: resultante:
"La letra con → Castiga e
sangre entra" incluso golpea
al hijo para
que "aprenda"

Concepto Guía Funcional sobre el tema fundamental: EDUCACIÓN

Tema
Fundamental:

Educación → Concepto Guía → Conducta
Funcional: resultante:
Significa sacar → Apoya a su
a la luz lo mejor hijo para que
de una persona adquiera
buenos hábitos
y técnicas de
estudio

Las áreas de tu vida en las que peor te va, en las que actúas irracional o torpemente son Temas Fundamentales en los que tus Conceptos Guía en realidad son Malentendidos Devastadores.

con dichos conceptos guía.

Los **Conceptos Guía** son ideas sobre TEMAS FUNDAMENTALES que rigen la vida: **Pareja**, **Sexo**, **Matrimonio**, **Hijos**, **Educación**, **Dinero**, **Trabajo**, **Vida**, **Religión**, etc. Según como entiendas cada uno de

> **Los Conceptos Guía son una especie de enfocadores de la atención.**

estos conceptos, responderás y actuarás en consecuencia.

Puede haber **Conceptos Guía Funcionales** y **Conceptos Guía No Funcionales**.

Los Conceptos Guía no necesariamente son útiles. En muchas ocasiones proceden de verdaderas sandeces o barrabasadas adquiridas de diversas fuentes no necesariamente confiables: familiares, libros, TV., maestros, amigos, etc. que sólo reforzaron ciertas confusiones que teníamos sobre algún tema en particular, y que a la larga nos producirán continuos fracasos y frustraciones.

Ejemplo de un concepto guía **no funcional**:

Susana tiene el **Concepto Guía** de que el **Matrimonio** (TEMA FUNDAMENTAL) es "una decisión que limita la libertad de las personas e impide su desarrollo personal".

Esta idea no necesariamente está expresada así en su cabeza, pero tiene una sensación coincidente con ella. No vamos a revisar las causas que llevaron a Susana a creer esto, ni tampoco a polemizar si está en lo correcto o no; sólo vamos a ver cómo actúa Susana sobre la base de esta idea: ella contrae matrimonio porque, por otro lado, desea estabilizar su vida con un hombre del cual se enamoró y, después de dudarlo mucho, decide dar el paso. Sin embargo, tiene una sensación de desconfianza y en ocasiones se cuestiona si hizo bien en casarse.

Su esposo no le coarta su libertad. Sin embargo, ella está a la defensiva y reacciona exageradamente ante cualquier insinuación de lo que ella interpreta como un "bloqueo a su libertad", debido a que tiene un malentendido básico y devastador respecto al matrimonio

"No nos hace
dichosos
o desdichados
las cosas que
sean objetivas,
sino lo que son
para nosotros,
es decir,
en nuestra manera
de captarlas
e interpretarlas"

—Arturo Schopenhauer
"Aforismos sobre
el arte de saber vivir"

y todo lo percibe en función de dicho **Concepto Guía**.

La historia puede terminar como tú la quieras imaginar, pero con la influencia nefasta del malentendido devastador de Susana sobre el Matrimonio, difícilmente terminará bien, ya que su concepto guía será un elemento que constantemente le "disparará el gatillo" y reaccionará absurdamente.

¿Recuerdas lo de los botones blancos en el cajón? Asimismo Susana no percibe lo demás que se "encuentra en el cajón, sólo los botones blancos que busca", que en este caso son las posibles "amenazas a su libertad", derivadas de su Concepto Guía sobre el matrimonio.

El gran problema es que los Conceptos Guía no funcionales pueden estar alterados por experiencias e influencias nocivas, dañinas o dolorosas y, sin embargo, a partir de ellas se programa emocionalmente ante todo lo que se relacione con dicho concepto, llevándonos a actuar de manera errónea ante las necesidades reales de una situación.

2.4 • LOS MALENTENDIDOS DEVASTADORES SOBRE EL TEMA EDUCATIVO

• **TEMA FUNDAMENTAL: DISCIPLINA**
Los **malentendidos devastadores** más frecuentes con respecto a la Disciplina son:
- *Creer que es un fin, un objetivo.*
- *Creer que es un valor que hay que fomentar en tus hijos.*
- *Confundirlo con otros valores, como por ejemplo la responsabilidad.*
- *Confundirlo con hábitos como la limpieza y el orden o incluso, hasta con habilidades de organización.*

Concepto Guía Funcional:
La disciplina es un medio para fomentar
una serie de valores que para ti son importantes,
pero no es un valor en sí misma.

La disciplina es un medio para que los valores puedan ser enseñados y aprendidos.

La disciplina consiste en una serie de estrategias para que tus hijos puedan distinguir lo aceptable de lo no aceptable de su conducta y de la de los demás en el contexto de la sociedad en la que viven.

ESTRATEGIAS DISCIPLINARIAS

VALORES (Objetivos disciplinarios)

Disciplina = Un medio para alcanzar un objetivo disciplinario

Objetivo disciplinario = Valores prioritarios

Normas y reglas ⎫
Hábitos ⎪
Habilidades ⎬ Estrategias disciplinarias para alcanzar objetivos disciplinarios
Sistema de consecuencias proporcionales ⎪
Comunicación ⎭

Piénsalo detenidamente; incluso escribe lo que viene a tu mente cuando piensas en la disciplina para tus hijos. Estoy seguro de que lo que viene a tu mente son descripciones de cumplimiento, horario, estructura.

Las estrategias disciplinarias (todas tus acciones para reforzar conductas aceptables y para inhibir conductas inaceptables) te deberán conducir a fomentar la aplicación cotidiana de valores claros, los cuales deben ser tus objetivos al disciplinar.

**Si aplicas la disciplina sin un fin claramente definido,
la conviertes en algo absurdo, sin sentido,
y corres el riesgo de convertirla en la manifestación
de tus obsesiones y temores.**

• **TEMA FUNDAMENTAL: VALORES**

Los **malentendidos devastadores** más frecuentes con respecto a los Valores son:
- *Confundirlos con las reglas o normas del hogar, la escuela, el área de trabajo o de tu vida en general.*
- *Creer que se refieren exclusivamente a límites de acción.*
- *Confundirlos con sentimientos o personas.*
- *Confundirlos con hábitos y habilidades.*

**Concepto Guía Funcional:
Los valores son referencias fundamentales, profundamente arraigadas, que te sirven para jerarquizar tu vida,
tomar decisiones, y evaluar tu propia conducta
y la de los demás en diversos grados
de aceptación o rechazo.**

Vuélvelo a pensar ¿qué son tus valores? Por favor no contestes a la ligera. Trata de enunciar alguno en el que creas profundamente.

¿Qué son los valores?

Concepto Guía Funcional:

Son referencias fundamentales, profundamente arraigadas, que te sirven para jerarquizar tu vida, tomar decisiones y evaluar tu propia conducta y la de los demás en diversos grados de aceptación o rechazo.

*La cobardía pregunta:
¿es lo seguro?
La conveniencia pregunta:
¿es lo apropiado?
La vanidad pregunta:
¿es lo de moda?*

*Pero la conciencia
pregunta:
¿es lo correcto?*

*...y llega el momento en
que uno debe asumir
una posición que no es
ni segura, ni apropiada,
ni de moda, pero que se
tiene que asumir porque
la conciencia le dice a uno
que es lo correcto.*

India INK

Alguno que incluso te produzca una respuesta emocional.

Para facilitar su manejo y enseñanza, inicialmente exprésalos en una sola palabra.

Por ejemplo:

- Respeto
- Libertad
- Responsabilidad
- Verdad
- Justicia
- Honestidad
- Solidaridad

Los valores sirven para tomar decisiones, para actuar, no sólo para limitarte.

A partir de un valor, defines todo un campo de acción y tienes certeza de los límites de dicha acción.

Si estuvieras jugando sobre un terreno enorme que termina al filo de una barranca, sería absurdo pensar en irte a la orilla a lamentar todo que lo podrías hacer en la barranca; jugarías sobre el terreno que tienes, el cual, créeme, es enorme y no has aprovechado en su totalidad. Algo similar sucede con alguien que cree que los valores sólo son límites y los confunde con reglas o mandamientos. Conocer estos límites no significa que vas a dedicarte a actuar en la orilla de dicho campo, en vez de disfrutar de toda su extensión.

"No matarás" no es un valor, es un mandamiento, una regla que nació de un valor; tal vez del valor Respeto o del Respeto a la Vida. Toda ley o reglamento tiene un "espíritu" del cual emana. Dicho espíritu es un valor.

La conducta de alguien es sólo "la punta del iceberg"; debajo del agua hay mucho más que no vemos a primera vista. Los valores se encuentran en la parte más profunda, muy por debajo de la superficie observable a primera vista.

La **Integridad Personal** es una experiencia que se vive cuando la Conducta es congruente con los Valores. La falta de Integridad Per-

Los valores sirven para vivir de acuerdo con una conducta que consideras benéfica para ti y para los que te rodean, según tu propia experiencia y la de la comunidad social de la cual los adquiriste.

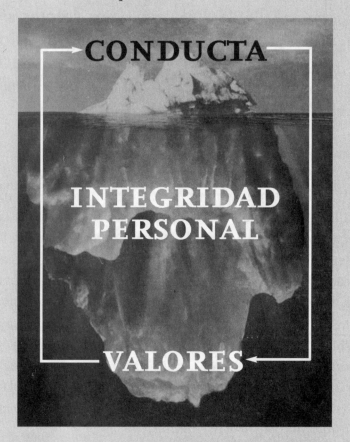

Son referencias fundamentales de las que se deriva todo un sistema de creencias, ideales, pensamientos y actitudes que desembocan en las emociones que determinan nuestras conductas.

sonal y sus consecuencias se experimentan cuando no coincide la Conducta con los los propios Valores Personales. Adentrándose en un proceso de autodevaluación personal.

Puedes encontrar formas para que dichos valores sean los motores de tu trabajo, de tu proyecto de vida y, por supuesto, del proyecto educativo que pretendes realizar con tus hijos.

Un valor no es una persona o grupo de personas.

En una ocasión, durante una plática a padres de familia en un colegio, pedí que escribieran los principales valores que consideraban debían fomentar en sus hijos y recibí respuestas como: *"la familia"*, *"mi pareja"*. La familia y la pareja no son valores, son personas importantes para ti, pero aunque sean muy valiosos, no son valores. Puedes respetar a los miembros de tu familia o a tu pareja. Puedes aplicar un valor en tus relaciones con la gente, pero las personas no son valores.

Un valor no es un sentimiento.

Entre las respuestas de los padres de familia sobre sus valores, también hubo respuestas como: *"el perdón"* o *"el optimismo"*; conceptos importantes pero que tampoco son valores. Son sentimientos o actitudes muy bellas, pero no son valores. Puedes tener nobles sentimientos y manifestárselos a tu pareja, a tu familia, a tus amigos, a la humanidad entera, pero no son valores.

Los valores no son hábitos ni habilidades.

Los hábitos como la limpieza, el orden, la tenacidad, etc. y las habilidades como la organización o la estructuración de las actividades cotidianas, no son valores; son acciones derivadas de la enseñanza y la práctica continua e incluso pueden ser vistas como resultantes de la estrategia disciplinaria para fomentar un valor.

Por ejemplo: tú les enseñas hábitos de limpieza a tus hijos basa-

¿Qué es la autoridad?

Concepto Guía Funcional:
Según su etimología, la palabra autoridad proviene del verbo latino *augeo*, que significa, entre otras cosas, *hacer crecer*.

do en el valor Respeto a sí mismos o Responsabilidad por su cuerpo, pero el valor no es la limpieza. La limpieza es un hábito que les hace vivir el valor en cuestión, no el valor en sí mismo.

Otro ejemplo: si tú les estructuras el horario, les enseñas a tener organización y orden para estudiar y realizar sus tareas escolares, les ayudarás en sus hábitos de estudio y aprendizaje, pero estos hábitos y habilidades no son valores. El valor que está detrás de estos hábitos podría ser el de la Responsabilidad para que cumplan con sus deberes.

• TEMA FUNDAMENTAL: AUTORIDAD

El **malentendido devastador** más recurrente sobre la Autoridad es:
- *Creer que consiste en actuar de manera rígida, inflexible e incluso ofensiva, utilizando la fuerza o el maltrato con el fin de lograr la obediencia.*

**Concepto Guía Funcional:
Ayudar a crecer.**

Hacer crecer de acuerdo con sus posibilidades y ritmo, no al que tu fantasía estableció como *"el que debe ser"*. Si te empeñas en hacerlo a tu manera, vas a intentar meter a tu hijo en tu propio esquema, y como muy probablemente no encajará en él, tratarás de imponerle tus tiempos y expectativas, generando una doble moral en la que el niño actúa y habla frente a ti como tú lo deseas, pero en privado actúa y habla de otra forma y, en muchos casos, de manera opuesta a la que deseas, tan sólo por su necesidad de autoafirmación, rebelándose precisamente a lo que intentas imponerle.

La obediencia no es el fin de la autoridad; su fin es ayudar a crecer a la persona para que pueda ser responsable, es decir, para que responda por su conducta y por sus compromisos. Es la serie de estrategias para lograr el fin de inculcar el valor de la responsabilidad personal.

Elementos del Amor Activo

(Erich Fromm)

Cuidado   Responsabilidad

AMOR

Respeto   Conocimiento

La autoridad sirve para enseñar a cumplir con los compromisos, a cumplir la palabra empeñada, a acabar lo que se empieza, a esforzarse por hacerlo muy bien desde el principio. Y esto no tiene nada que ver con los golpes o con el concepto represivo de autoridad; se enseña actuando uno mismo de esta forma, no sólo hablando sobre ello.

• **TEMA FUNDAMENTAL**: **AMOR**
Los **malentendidos devastadores** más frecuentes sobre el Amor son:
• *Creer que consiste en una dependencia mutua,*
  en que sin el otro no seremos capaces de sobrevivir.
• *Creer que es la justificación afectiva para adueñarse*
  de toda la atención y el afecto del otro para "absorberlo
  en uno mismo".

La confusión entre dependencia y amor, independientemente de que se trate del amor a una pareja, a un hijo o a un amigo, generará sentimientos y actitudes posesivas, que a su vez, generarán dependencias o incluso adicciones, hacia esas personas, lo que comúnmente se traduce en celos enfermizos y manipulaciones para que la persona amada "nos necesite y nunca nos deje", así como en chantajes, depresiones y falta de sentido de la vida cuando la persona amada se va o simplemente establece una distancia.

Concepto Guía Funcional:
El amor es cuidar, responder, respetar y conocer
a otra persona de tal manera que establezcamos
vínculos profundos, mutuamente nutritivos.

Esta vinculación no admite dependencias enfermizas; implica respeto por las necesidades propias y las del ser amado. Establecer una vinculación profunda que no se vuelva posesiva nos remite a la

CUIDADO

Amar es actuar a favor de la vida y del crecimiento
de lo que amamos. Cuando falta tal actividad,
no hay amor.
La esencia del amor es "trabajar" por algo
y "ayudar a crecer", ya que el amor y el trabajo
son inseparables.
"Se ama aquello por lo que se trabaja,
y se trabaja por lo que se ama".

RESPONSABILIDAD

Ser "responsable" significa estar listo y dispuesto
a "responder".

RESPETO

Respeto no significa temor y sumisa reverencia;
de acuerdo con la raíz de la palabra
(respicere=mirar), es la capacidad de ver
a una persona tal cual es, tener conciencia
de su individualidad única.
Respetar significa ocuparse de que la otra persona
crezca y se desarrolle tal como ella es.
Que la persona amada crezca y se desarrolle
por sí misma, en la forma que le es propia,
y no para servirme.
Tal cual es ella, no como yo necesito que sea.

CONOCIMIENTO

Para conocer a alguien es necesario comunicarse
con esa persona, percibir su realidad, su forma de
ver e interpretar las cosas y también percibir sus
emociones, conectarse emocionalmente con ella.

brillante descripción que al respecto hace **Erich Fromm** en su libro *El Arte de Amar*, donde menciona cuatro elementos básicos, comunes a todas las formas de amor:

1. **Cuidado.**
2. **Responsabilidad.**
3. **Respeto.**
4. **Conocimiento.**

1. **Cuidado.** "...el amor es la preocupación activa por la vida y el crecimiento de lo que amamos. Cuando falta tal preocupación activa, no hay amor.

...la esencia del amor es "trabajar" por algo y "hacer crecer", el amor y el trabajo son inseparables. Se ama aquello por lo que se trabaja, y se trabaja por lo que se ama."

2. **Responsabilidad.** "...Hoy en día suele usarse ese término para denotar un deber, algo impuesto desde el exterior. Pero la responsabilidad en su verdadero sentido, es un acto enteramente voluntario, constituye mi respuesta a las necesidades, expresadas o no, de otro ser humano. Ser "responsable" significa estar listo y dispuesto a "responder". La persona que ama, responde."

3. **Respeto.** "La responsabilidad podría degenerar fácilmente en dominación y posesividad, si no fuera por un tercer componente del amor, el respeto. Respeto no significa temor y sumisa reverencia; denota, de acuerdo con la raíz de la palabra (*respicere* = mirar), la capacidad de ver a una persona tal cual es, tener conciencia de su individualidad única. Respetar significa preocuparse de que la otra persona crezca y se desarrolle por sí misma, en la forma que le es propia, y no para servirme... tal como esa persona es, no como yo necesito que sea, como un objeto para mi uso."

"El primer objetivo de la educación consiste
en hacernos conscientes de la realidad
de nuestros semejantes..." "Lo cual implica
considerarles sujetos y no meros objetos;
protagonistas de su vida y no meros comparsas
vacíos de la nuestra..."

–Fernando Savater

"Mientras no sepa qué necesitan una planta,
un animal, un niño, un hombre, una mujer,
y mientras no me desprenda de lo que
me figuro que es mejor para el otro
y de mi deseo de controlarlo,
mi amor es destructivo, un beso de la muerte."

"El amor hace que el ser humano supere
el sentimiento de aislamiento y separación
permitiéndole, no obstante, ser él mismo
y preservar su integridad."

–Erich Fromm

4. Conocimiento. "...Respetar a una persona sin conocerla, no es posible; el cuidado y la responsabilidad serían ciegos si no los guiara el conocimiento."

Erich Fromm
"El Arte de Amar"

Para conocer a alguien es necesario comunicarse con esa persona, percibir su realidad, su forma de ver e interpretar las cosas y también percibir sus emociones, conectarse emocionalmente con ella. Si no lo haces así, nunca conocerás a otro ser humano, aunque se trate de tu hija o tu hijo.

Capítulo 3
Cómo evitar los extremos
(amaestramiento–sobreprotección)

"Tú eres la suma total de tus opciones"

—Wayne W. Dyer
"Tus zonas erróneas"

Capítulo 3
Cómo evitar los extremos
(amaestramiento–sobreprotección)

3.1 • ¿PODRÉ CAMBIAR MI FORMA DE ACTUAR CON MIS HIJOS?

Como madre o padre de familia, puedes adoptar diversos estilos para disciplinar. Estos, en ocasiones oscilan de una manera brusca y en otros casos, se quedan estacionados como si fueran parte de tu personalidad. No lo son.

Existen madres y padres de familia que utilizan frases como *"así soy yo"*, *"le grito a mi hija porque tengo el carácter fuerte de los López"* y una cadena de sandeces autojustificatorias encaminadas a no hacer siquiera el intento de cambiar.

Wayne Dyer en su clásico libro de autoayuda *"Tus Zonas Erróneas"*, llama a estas justificaciones auto-etiquetas y explica que siempre reportan algún beneficio psicológico a quien las utiliza. Por supuesto que se trata de beneficios imaginarios, en los que la persona se escuda sin medir las consecuencias de los efectos que tienen sobre los demás.

Existe una confusión entre lo permanente de la personalidad y lo transitorio de los estados de ánimo.

La lengua española tiene dos palabras para poder distinguir entre el **ser** y el **estar**. La lengua inglesa está en desventaja al respecto: uti-

"Lo que a ellos (tus padres)
les han hecho te lo están haciendo a ti.
A menos que te rebeles,
a los hijos que vas a tener
has de hacerles lo mismo.
Los sufrimientos familiares,
como los eslabones de una cadena,
se repiten de generación en generación,
hasta que un descendiente,
en este caso quizás tú,
se hace consciente y convierte
su maldición en bendición."

—Alejandro Jodorowsky

liza *"to be"* para ambas condiciones sin diferenciarlas. Basémonos en el español: no es lo mismo **ser** que **estar**.

Es absurdo confundir una situación en la que uno se encuentra temporalmente (**estar**) con una condición de **ser**, esencial y permanente.

Sin embargo, muchas personas dicen que actúan de una determinada manera *"porque así soy"*, *"soy muy duro con mi hija porque así me hicieron mis propios padres"* o *"soy muy débil y no puedo hacer nada con Miguelito".*

Frases que expresan una falta de voluntad para cambiar la propia conducta y se autojustifican achacándosela a la "herencia" o a supuestas causas totalmente indefinidas. Ni siquiera se intenta cambiar una conducta negativa; se le atribuyen fuentes ambiguas y se les otorga un rango integrante de la personalidad. Para colmo se culpa a los demás y ni siquiera hacemos el esfuerzo de cambiar lo que sabemos que está mal en nuestra conducta.

> *"Así soy yo, ni modo... o me tomas o me dejas"*
> *"Así me conociste, genio y figura hasta la sepultura"*

Frases así, indican esta falta de disposición para hacer un esfuerzo por cambiar, y aducir que no se puede hacer nada al respecto, que los demás nos tienen que aguantar con nuestros defectos de carácter.

Si consultas por ejemplo el *Diccionario Larousse Esencial*, encontrarás:

Ser: *Principio activo y radical constitutivo de las cosas.*

Se refiere a las condiciones características que determinan a alguien o algo. En este caso, me refiero a las características de la personalidad, las cuales incluyen factores físicos, psicológicos, temperamentales y si quieres hasta espirituales pero que **son permanentes**.

Estar: *Con algunos adjetivos, tener en ese momento y de forma transitoria, la calidad expresada por éstos.*

"La vida no es estática. Los únicos que no cambian de propósito y de ideas son los inquilinos de los manicomios y los del cementerio".

—Everett Dirksen

Se refiere a las condiciones que determinan el estado temporal de alguien o algo. En este caso, me refiero a las **características pasajeras** del estado de ánimo.

Es absurdo hablar de *"ser enojón"* o *"ser llorona"*; en realidad una persona está *enojada* y luego ya no. Si la ira fuera permanente, entonces se tendrían que detectar las circunstancias que disparan dicha emoción, pero no significa que la persona "sea así", sino que **está** así.

Igualmente, nadie "es llorona"; alguien llora por determinadas circunstancias emocionales pasajeras. Si la situación es crónica, entonces puede haber razones más profundas o cargas emocionales que la persona no ha podido liberar, pero después de un buen desahogo, seguramente cambiará su estado de ánimo.

Así pues, si comprendes que tu forma de actuar es producto de una elección, tendrás mayores oportunidades de reconocer como algo modificable la conducta que asumes, y a pesar de la costumbre, por medio de la conciencia y la voluntad, cambiarla y plantearte entonces metas para mejorar las relaciones con tus hijos.

De otro modo, te quedarás atorado(a) en tu pretendida "forma de ser" y ninguna estrategia te funcionará, pues el ambiente o la atmósfera provocada por tu conducta y por la respuesta de ellos en función de esa conducta, será nociva para la aplicación de una disciplina inteligente.

Vale la pena cuestionarse la idea fija de que las emociones y las conductas son formas de ser permanentes y no formas de estar pasajeras, estilos temporales, **los cuales tú eliges**. Revísalas. Procura observarte a ti mismo(a), "desde afuera", reflexiona sobre tu comportamiento y entonces tendrás mayores oportunidades de cambio.

3.2 • CÓMO EVITAR LOS EXTREMOS

Los estilos disciplinarios son **formas de actuar que asumes, que eliges** para ejercer la disciplina en tu familia. Hay diversos modelos o

ASERTIVIDAD

Término que proviene de **aserto**,
que significa aserción:
acción de afirmar, asegurar.
Proposición en que se afirma
o se da por cierta alguna cosa.

No es necesario hacer sentir inseguro
a alguien más para adquirir
seguridad personal.
Tu autoafirmación no debe depender
de la falta de afirmación
de los demás.

La asertividad no sólo es útil
para quien educa, es un objetivo
que define buena parte
de la razón educativa.

**La asertividad es un recurso y al mismo
tiempo un fin de la educación.**

esquemas que puedes usar para ubicar tu estilo y cobrar mayor conciencia sobre los efectos de tu conducta en tus hijos.

Un concepto fundamental, vigente y muy aplicable tanto a este campo como a otros asociados con las relaciones interpersonales en general, es la **Asertividad**.

¿Por qué se escribe con *s* y no con *c*? En una ocasión alguien me objetó que si la palabra proviene de **acertar**, entonces debería escribirse **acertividad**. Así sería si ese fuera el origen de la palabra, pero no es el caso.

Asertividad proviene de **aserto**, que significa **aserción**: *acción de afirmar, asegurar. Proposición en que se afirma o se da por cierta alguna cosa.*

Por eso se escribe con *s*.

¿Qué significa **Asertividad** en el contexto educativo? Significa asumir una conducta segura, afirmativa tanto para quien la ejerce como sobre quien recae.

Hay padres de familia que asumen actitudes extremas que oscilan entre la Pasividad y la Agresividad.

Estos estilos no son funcionales ni asertivos. Claro que no los ven como estilos, los perciben como formas de ser permanentes; *"así soy yo... pasiva"* o *"así soy yo... fuerte y agresivo"*. No "tienes que" actuar de acuerdo con los patrones que asumiste de tus propios padres. Tú no eres así. Actúas así y puedes cambiar tu conducta si entiendes el proceso y estás dispuesto(a) a romper los malos hábitos.

La asertividad, entonces, tiene toda una amplia gama de posibilidades para ser utilizada con madurez en tus relaciones interpersonales.

La Asertividad es de hecho la **Libertad Emocional** en lo que se refiere a la defensa de los derechos propios; todo lo contrario al **"Estreñimiento Emocional"**, en el que se manifiesta una carencia de autosuficiencia y siempre se hace lo que no se quiere hacer.

Tu Asertividad o la falta de ella repercute en tu estilo disciplinario, y tus hijos modelarán su conducta y probablemente desarrollarán el hábito ellos mismos de acuerdo con la forma en que los abor-

Algunas de las características de la conducta asertiva:
- Libertad para expresarse con palabras y/o actos.
- Comunicación abierta, directa, franca y adecuada.
- Orientación activa para ir tras lo que quiere en la vida, no esperar que las cosas sucedan, intentar hacer que las cosas sucedan.
- Prioridad en conservar el respeto propio, aún en situaciones desventajosas.

Algunas de las características de la conducta no asertiva:
- Mostrarte constantemente conciliador(a) con los demás, porque temes ofenderles (no puedes decir simplemente ¡NO! Y PUNTO)
- Permitir que otros te impliquen en situaciones que no son de tu agrado (pegas a tu hijo porque estás delante de tu suegra y todos están presionando para que lo "corrijas")
- No poder expresar tus deseos legítimos (incluso a tus hijos)
- Creer que los derechos de los demás son más importantes que los tuyos (sacrificas tus actividades favoritas por los demás)
- Sentirte tímido(a) ante "superiores" y representantes de la autoridad (y por lo tanto no puedes ejercerla)
- Ofenderte con tanta facilidad por lo que los demás dicen o hacen que continuamente te inhibes a ti mismo(a) (te llenas de "corajitos" que te impiden fluir con tu familia y amigos)
- Te dejas dominar por los demás, porque nunca has aprendido a defenderte (incluso los hijos te exigen, te insultan u ofenden)
- Te sientes solo(a) porque no puedes establecer relaciones verdaderamente íntimas.

—Herbert Fensterheim y Jean Baer
"No diga SÍ cuando quiera decir NO"

des y te relaciones cotidianamente con ellos. Es posible que en ocasiones actúes asertivamente y en otras no, dependiendo de tu estado de ánimo, de tu entorno y de tus decisiones. También sucede que ante ciertas personas actúas asertivamente y ante otras no.

Para esquematizar un concepto con tantas variaciones, imagina un péndulo para representar los cambios, y a veces extremos, en los que nos movemos al asumir estilos disciplinarios.

He acuñado un nuevo verbo: "pendulear". Penduleamos, oscilamos mucho en nuestro quehacer cotidiano como padres.

En un extremo vemos a los padres demasiado duros, que son mandones e inflexibles: establecen normas y exigen que se cumplan escrupulosamente, con castigo físico incluido, si es necesario. Son el tipo de gente del "cierra la boca y haz lo que se te ordena". Cuando un padre de familia persigue la obediencia como objetivo primordial, está amaestrando a su hijo(a). Sé que este es un término usado para domesticar a los animales, que no es correcto utilizarlo cuando se habla de personas, pero la similitud de objetivos hace inevitable la comparación.

Los padres demasiado blandos son justamente lo contrario: no les dan indicaciones a sus hijos y son permisivos a más no poder. ¿Reglas? ¿Qué reglas? Lo importante, creen ellos, es demostrarle muchísimo cariño a sus hijos.

La verdadera educación radica en colocarse en el punto medio: ni amaestrar, ni sobreproteger, sino educar asertivamente, enfatizando los valores que sustentan tus decisiones como madre o padre de familia. No te obsesionas con la obediencia, ni tampoco utilizas el chantaje como arma principal de manipulación.

Estas son las diferencias: al **Educar** aplicas un Sistema Disciplinario de Consecuencias, que detallaremos más adelante; al **Amaestrar**, aplicas el tradicional Sistema de Premios y Castigos, que únicamente condiciona conductas reactivas pero no forma personas con valores, y al **Sobreproteger** simplemente no aplicas ningún sis-

EL PÉNDULO DISCIPLINARIO

ESTILOS

SOBREPROTECCIÓN Pasividad (evasiva o sumisa)	EDUCACIÓN Asertividad	AMAESTRAMIENTO Agresividad (ofensa verbal o violencia física)
Libertad de expresión de las emociones y la conducta SIN TOMAR EN CUENTA A LOS DE-MÁS dejando que el ni-ño o joven haga lo que desee sin límite o ha-ciendo las cosa por él.	*Libertad de expresión de las emociones y la conducta TOMANDO EN CUENTA A LOS DE-MÁS a través de la co-municación asertiva, procesos de negocia-ción.*	*Represión de la expre-sión de las emociones y la conducta a través del maltrato físico y/o psicológico.*
SIN SISTEMA DISCIPLINARIO	SISTEMA DISCIPLINARIO DE CONSECUENCIAS	SISTEMA DISCIPLINARIO DE PREMIOS Y CASTIGOS
Posibles consecuencias: • Codependencia. • Inutilidad para tomar decisiones y resolver su propia vida. • Inadaptación social debido a la imposibili-dad para aceptar lími-tes ni tener tolerancia a la frustración	Posibles consecuencias: • Interdependencia. • Confianza en sí mismo. • Capacidad afectiva. • Enfoque constructivo y de contribución ha-cia la sociedad.	Posibles consecuencias: • Contradependencia • Agresividad patológica. • Sumisión temerosa. • Problemas de autoestima. • Inadaptación social debido a que intenta "vengarse" o a su re-beldía patológica.
Actitud característica del adulto sobreprotector: *No lastima a las personas, no ataca los problemas.*	**Actitud característica del adulto educador:** *No lastima a las personas, ataca los problemas*	**Actitud característica del adulto amaestrador:** *Lastima a las personas, ataca los problemas*
ÉNFASIS EN EL CHANTAJE	**ÉNFASIS EN LOS VALORES**	**ÉNFASIS EN LA OBEDIENCIA**
MIEDO A EDUCAR	CLARO Y CONSIS-TENTE AL EDUCAR	SOBRERREACCIÓN Y EXAGERACIÓN

tema pues temes "traumar" a tus hijos si les dices que no deben hacer algo o los limitas. Recapacita sobre las frases del recuadro que describen la conducta característica de los adultos en los extremos del péndulo; en la **Sobreprotección** la actitud característica es: **No lastima a las personas, no ataca los problemas**, lo que significa que pueden abusar de ti asumiendo esta actitud:

— ESCENA I —

Mamá dice: "Miguel Arturo, vete a la cama a dormir, ya es muy tarde y mañana tienes escuela..."
Miguel Arturo por supuesto no le hace caso y sigue viendo la televisión.
Mamá dice: "Miguel Arturo, por fa... vete a la cama ya, si no mañana no te vas levantar, mi amor..."
Miguel Arturo sigue viendo la tele y dice: "¡ya voy!."
Después de más de quince minutos mamá vuelve a decir: "¡Me voy a enojar contigo ¿eh?!."
Miguel Arturo sigue viendo la tele hasta que lo vence el sueño y su mamá resignadamente lo lleva a su cama.

En esta breve escena puedes apreciar cómo la mamá es tan suave que no quiere tener un choque con su hijo y, por lo tanto, es blanda ante los problemas, en este caso la hora de irse a la cama y establecer un horario estructurado, por lo que su hijo hace lo que se le pega la gana y abusa de su debilidad. Por supuesto que sobreprotegiendo sólo lograrás hijos resentidos que abusan sin concesión de ti, que exigen cada vez más y de peor manera, pues creen que es tu obligación, y así como tú los chantajeas para que te obedezcan, ellos te chantajean para exigirte más y más.

El chantaje es un recurso que proviene del temor, que se utiliza para evitar ser dañado por los demás y que al final se vuelve en tu contra generando más chantajes. Si haces todo por tus hijos no aprenderán a vivir sin ti, y cuando crezcan se darán cuenta de que no son capaces de enfrentar situaciones elementales en las que tengan que decidir por sí mismos.

Ahora lee la frase del recuadro que describe la conducta característica de los adultos amaestradores; en el **Amaestramiento** la actitud característica es: **Lastima las personas, ataca los problemas**, lo que significa que puedes abusar de los demás asumiendo esta actitud:

— ESCENA 2 —

Mamá dice: "Miguel Arturo, vete a la cama a dormir, ya es muy tarde y mañana tienes escuela..."

Miguel Arturo por supuesto no le hace caso y sigue viendo la televisión.

Mamá grita: "¡Miguel Arturo, te estoy diciendo que te vayas a la cama ahora mismo, estoy harta de que no me hagas caso nunca, siempre te sales con tu regalada gana...!"

Acto seguido apaga la tele y le pega a Miguel Arturo mientras le grita: "¡cuando te digo algo lo tienes que hacer y rápido! ¡¿entiendes o eres bruto?!..."

Miguel Arturo se encuentra en su cama llorando de coraje, no por no poder seguir viendo la tele, sino por lo que su mamá le dijo y sobre todo por los golpes.

En esta breve escena, la mamá es tan dura que ofende a su hijo al intentar resolver un problema, generando serios conflictos en la relación y provocando una fuerte carga de resentimiento por asuntos que no son tan importantes. Está resultando muy caro el precio de la obediencia a través de los golpes y los insultos al hijo para resolver un problema que no ameritaba tanta fuerza.

Es curioso observar cómo los niños detectan la conducta que más molesta y la repiten insistentemente. Si te molesta mucho que no coma, tu hijo no comerá; si te molesta mucho que hable como chiquito, así lo hará. Debes comprender que esa es su forma de atacarte, como revancha a tus sobrerreacciones y exageraciones ante cuestiones sin importancia. No se necesita llegar a la adolescencia para manifestar una conducta difícil; hay muchísimos niños pequeños que están en permanente defensa y ataque contra sus padres amaestradores.

En la **Educación** prevalece la actitud: **No lastima las personas, ataca los problemas**, lo que significa que se utiliza un estilo de autoridad correcto, asertivo:

— ESCENA 3 —

Mamá dice: "Miguel Arturo, vete a la cama a dormir, ya es muy tarde y mañana tienes escuela…"
Miguel Arturo por supuesto no le hace caso y sigue viendo la televisión.
Mamá dice: "en cuanto acabe este programa te vas a la cama…"
Miguel Arturo sigue viendo la TV sin hacer mucho caso…
Al terminar el programa, mamá se acerca, apaga la TV, y toma con suficiente firmeza a su hijo y lo conduce a su cama, sin hacer mucho caso a sus protestas.
Él puede estar llorando o no pero su mamá le da un beso y le dice: "buenas noches, ojalá descanses para mañana estar listo."
Apaga la luz y abandona el cuarto sin hacer más caso.

Si utilizas un estilo de autoridad que realmente **haga crecer** a tus hijos, les darás cariño y apoyo, pero establecerás límites y los harás cumplir.

Serás capaz de persuadirlos para que se comporten adecuadamente razonando con ellos, antes que usar la fuerza. Las reglas se establecerán con claridad, pero no estarán labradas en piedra, podrán cambiar y evolucionar según las necesidades, opiniones y negociaciones con tus hijos.

Más adelante nos concentraremos en cómo lograr este equilibrio para tu tranquilidad y poder fortalecer vínculos de amor con ellos.

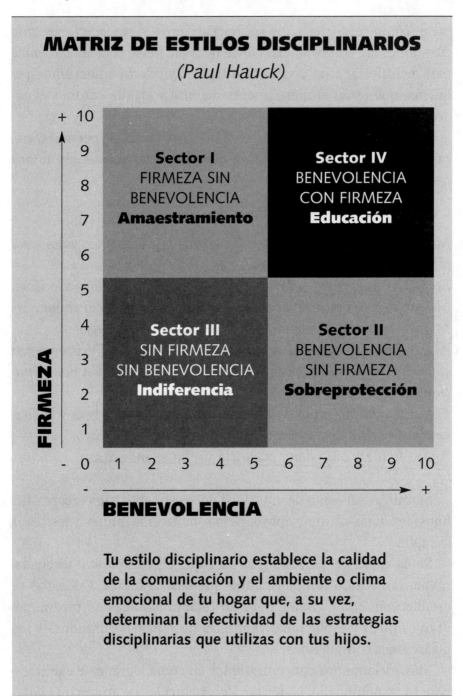

MATRIZ DE ESTILOS DISCIPLINARIOS
(Paul Hauck)

Sector I
FIRMEZA SIN
BENEVOLENCIA
Amaestramiento

Sector IV
BENEVOLENCIA
CON FIRMEZA
Educación

Sector III
SIN FIRMEZA
SIN BENEVOLENCIA
Indiferencia

Sector II
BENEVOLENCIA
SIN FIRMEZA
Sobreprotección

FIRMEZA

BENEVOLENCIA

Tu estilo disciplinario establece la calidad
de la comunicación y el ambiente o clima
emocional de tu hogar que, a su vez,
determinan la efectividad de las estrategias
disciplinarias que utilizas con tus hijos.

La única forma de fomentar la autoestima es tratándolos con estima, como seres merecedores de un trato digno y respetuoso y limitándolos cuando ellos no actúan de manera digna y respetuosa.

Trátalos como personas capaces de resolver sus propios problemas y enfrentar sus propios retos de acuerdo con sus respectivas edades y notarás un verdadero crecimiento.

3.3 • CÓMO EQUILIBRAR LA FIRMEZA CON LA BENEVOLENCIA

Las dos variables que determinan tu estilo disciplinario son la **Firmeza** y la **Benevolencia**. Su combinación nos conduce a los diferentes posibles estilos, dependiendo del balance entre estas dos variables.

Firmeza significa estabilidad, fortaleza para poner límites y hacer que se cumplan. El concepto de firmeza puede entenderse como una variable, es decir que puede tener diferentes niveles de aplicación que vayan desde una firmeza alta, disminuyendo por una escala imaginaria hasta llegar a la ausencia de firmeza. No confundas una falta de firmeza con la benevolencia pues ésta es la otra variable y tiene su propia definición.

Benevolencia significa tener buena voluntad, afecto, bondad. Aplicada a la educación, **la benevolencia se fundamenta en el conocimiento de las etapas de desarrollo de un niño o de un joven**, con el fin de no exigir comportamientos que no le corresponden, a fin de ubicar con mayor precisión lo que sí se puede hacer esperar de acuerdo con dichas etapas de desarrollo.

Los posibles estilos disciplinarios se encuentran básicamente descritos en alguno de los cuatro bloques o sectores que muestra la Matriz de Estilos Disciplinarios. Recuerda que al igual que el esquema del Péndulo, nuestra conducta no puede ser tan rígida como los esquemas que diseñamos para clarificarla; normalmente nos movemos de un sector a otro. Es muy difícil mantenerse en un

Si utilizas este estilo disciplinario de Sector I, no será extraño observar que tus hijos presenten algunas de las siguientes reacciones:

- Rebeldía enfermiza.
- Agresividad patológica.
- Sumisión temerosa.
- Doble moral (frente a ti son unos y sin ti son otros).
- Problemas de autoestima.
- Problemas de socialización.

Estas reacciones pueden presentarse por separado o combinadas.

**El miedo no es la base del respeto,
es la base del resentimiento
e incluso, del odio.**

**No puedes respetar lo que temes,
puedes respetar lo que amas y reconoces
como promotor de tu bienestar y de tu vida.**

solo estilo; lo común es que en ocasiones estemos en el I y en otras actuemos como lo describe el IV. No obstante que las variaciones sean constantes, trata de identificar las características de cada sector y, sobre todo, las conductas que presenta tu hijo para relacionarlas con tu propio estilo crónico, el cual es un estilo elegido y puede modificarse.

Cuando tu estilo es el correspondiente al **Sector I (Alta Firmeza/ Baja Benevolencia)**, estás buscando la obediencia como prioridad principal. Deseas que te obedezcan a como dé lugar y te autojustificas argumentando que "ya te lo agradecerán cuando crezcan y entiendan". Es un estilo disciplinario generador de temor profundo, de culpabilidad y resentimiento. Equivale al extremo del **Amaestramiento** en el Péndulo Disciplinario y acarrea todas sus consecuencias. **La firmeza sin benevolencia se manifiesta como dureza con las personas y dureza para resolver problemas**, es decir, impone límites recurriendo a la rudeza innecesaria.

El Amaestramiento nace del miedo a que tu hijo se vuelva incontrolable y, por ello, ejerces control excesivo. **Nace del miedo y produce miedo, empeorando lo que se intenta solucionar.** En ocasiones se confunde la obediencia temerosa con la efectividad disciplinaria. No son lo mismo. El que tu hijo te obedezca no garantiza que lo estés educando correctamente. La obediencia de algunos niños no es otra cosa que miedo al posible castigo o a tus reacciones exageradas. Los niños y los jóvenes responden fácilmente a la disciplina cuando se sienten parte integrante de una familia.

El miedo a ser censurados los hace vivir una mentira que dura toda la vida. No se atreven nunca a ser ellos mismos. Se convierten en esclavos de las costumbres.

Puedes decirle NO a un menor, sin convertirte en su opresor, pero utilizar el castigo como una constante no te llevará a obtener buenos resultados. En ocasiones, los padres pagan demasiado caro por la obediencia de sus hijos, con rompimientos dolorosos cuando lle-

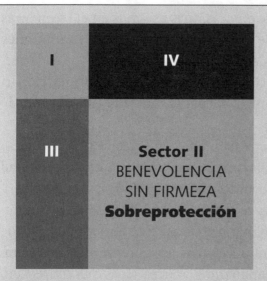

Si utilizas este estilo disciplinario de Sector II, no será extraño observar que tus hijos presenten algunas de las siguientes reacciones:

• Dependencia patológica hacia los demás (codependencia).
• Inmadurez y disparidad entre su edad cronológica y su edad emocional.
• Tendencia a las adicciones en general.
• Inutilidad para tomar decisiones y resolver su propia vida.
• Inadaptación social debido a la imposibilidad para aceptar límites, ni tener tolerancia a la frustración.

Estas reacciones pueden presentarse por separado o combinadas. Observa la conducta crónica de tus hijos...

Cuando hay benevolencia sin firmeza:
"los jóvenes no se desarrollan en libertad sino que crecen en el vacío. Cuando tienen siempre la razón no son felices, porque para tener la razón hay que confrontarla con alguien, pero tenerla en el vacío provoca el sentirse desvalido. Absolvemos a los hijos para que nos absuelvan; El vacío es la ausencia de responsabilidad."

"...el respeto es previo al amor. El que respeta quizás ame.
El que no respeta nunca conocerá el amor."

Jaime Barylko
"El Miedo a Educar"

gan a una edad en la que pueden desembarazarse de ellos. Si eres un convencido de que está bien pegarle al niño en el restaurante porque está jugando con el salero y no se come todo, te auguro problemas mayores cuando tu hijo crezca. No fantasees con la idea de que de grande te lo agradecerá. No lo hará. Los hijos agradecen un trato digno, no los golpes en público... ni en privado.

Cuando tu estilo es el correspondiente al **Sector II (Alta Benevolencia/Baja Firmeza)** por lo general utilizas "el amor" como justificación para no poner límites a tus hijos ante sus conductas inaceptables. Te autojustificas argumentando que *"los amas tanto que no eres capaz de negarles algo".* Es un estilo generador de frustración para los padres y de abuso por parte de los hijos. Equivale al extremo de la **Sobreprotección** en el Péndulo Disciplinario y acarrea todas sus consecuencias.

La Benevolencia sin Firmeza se manifiesta como suavidad con las personas y suavidad ante los problemas, por lo que no conduce a resolver nada y además propicia que abusen de ti, pues al "resolverle" la vida a tus hijos, éstos no sabrán cómo hacer frente a las dificultades que tendrán en su propia vida, lo que le generará cierto grado de inutilidad. **La Sobreprotección nace del miedo y a la larga provoca problemas de socialización**, pues al retacar a tus hijos de regalos, viajes, y darle todo lo que su capricho exige, su tolerancia a la frustración será nula, y le será más duro enfrentar los golpes que inevitablemente sufrirá cuando comprenda que el mundo más allá de su hogar no existe exclusivamente para complacerlo, ni gira a su alrededor y de sus caprichos.

El péndulo se ha ido al otro extremo como reacción a tantos años de represión. Hay ahora tal temor de que el hijo "se traume", que los padres no le ponen límites y son víctimas de sus chantajes, berrinches y maltratos. Si en el Amaestramiento tenemos padres dictadores, en la Sobreprotección tenemos hijos dictadores con padres obedientes. La misma moneda pero por el reverso.

Si utilizas este estilo disciplinario de Sector III, es probable que tus hijos presenten algunas de las siguientes reacciones:

• Ansiedad por carencias afectivas.
• Resentimientos y "cuentas pendientes" contra los padres.
• Codependencia en sus relaciones afectivas.
• Abandono o indiferencia hacia sus padres.

Estas reacciones pueden presentarse por separado o combinadas.

"Cree que la vida vale la pena vivirla
y tu creencia originará el hecho.
No tengas temor de vivir."
—William James

"La pregunta no es si esperamos algo
de la vida, sino si la vida espera algo
de nosotros..."
—Victor Frankl
"El Hombre en Busca de Sentido"

Cuidado con confundir tu amor por ellos con perder el derecho a ser tratado(a) con respeto. Si tú crees que con amarlos es suficiente... no lo es. No sólo hay que amarlos, hay que educarlos.

Cuando tu estilo es el correspondiente al **Sector III (Baja Firmeza/Baja Benevolencia)**, en realidad es un indicador de apatía hacia tus hijos; tal vez estés dentro del pozo de la **Depresión**. Se te está escapando la vida por todos los agujeros que tú mismo(a) generas con tu indiferencia y, por supuesto, tus hijos se te escaparán también. La persona en este Sector, se encuentra dentro de un marasmo que le impide ocuparse de los demás, ya que no es capaz de ocuparse ni de sí misma. Me sería muy difícil imaginar que alguien cuya conducta coincida con este sector esté siquiera leyendo este libro, pues su problemática rebasa el proceso de autoayuda y requiere de auxilio profesional.

Es característico de este sector que la persona procure dejar encargados a los hijos con familiares o amigos por períodos prolongados, ya que es probable que se sienta demasiado abrumada como para hacerse cargo de ellos.

Cuando se impone la realidad de las necesidades de afecto y atención emocional y también físicas de los hijos, la madre o el padre en este estado, puede llegar a tener accesos de furia y maltratarlos, o de plano a dejar que "se las arreglen solos", propiciando así la falta de cuidado, de higiene, de cumplimiento escolar y ocasionándoles, incluso, serias carencias alimenticias.

También, la indiferencia hacia los hijos puede deberse simplemente a que, en la jerarquización de importancias personales de los padres, juzgan que sus hijos les estorban para alcanzar sus objetivos económicos, para desarrollarse profesionalmente o para desenvolverse socialmente, y por lo tanto, no les dedican tiempo. Si la madre vive en reuniones sociales, tomando café con las amigas y hablando por teléfono gran parte del día, será una madre ausente aunque físicamente se encuentre en casa. Si el padre vive exclusivamente pa-

Si utilizas este estilo disciplinario de Sector IV, es posible que logres los siguientes objetivos disciplinarios:

- Interdependencia y madurez.
- Confianza en sí mismo y Asertividad.
- Capacidad afectiva para dar y recibir amor.
- Enfoque constructivo, de contribución y servicio hacia la sociedad.

Ojalá estos efectos se presenten todos juntos.

"Déjalo, no se persiga tanto, no lo persigas tanto;
déjalo jugar con lo que juega cuando quiere jugar,
déjalo estar solo, haciendo nada;
déjalo juntar maderitas sin forma
en lugar de juntar corcholatas que dan premios
y que obligan a consumir refrescos o galletitas.
Ese es el juego, déjalo.
Abandonar por un rato las riendas
de la conducción y la planificación del bien...
dejar de hacerlos felices. Dejar que sean felices.
¿Es mucho pedir?"

—Jaime Barylko

ra su trabajo y no equilibra sus tiempos, será un padre ausente aunque sea un buen proveedor.

Cuando tu estilo es el correspondiente al **Sector IV (Alta Firmeza/Alta Benevolencia)** estás muy cerca de una educación cuyo sentido de autoridad realmente significa hacer crecer. Equivale al anhelado punto medio en el Péndulo Disciplinario y significa el logro de todas sus consecuencias.

La firmeza con benevolencia se manifiesta como suavidad con las personas y dureza frente a los problemas; actuando de esta manera, a la vez que resuelves los problemas, eres capaz de conservar el respeto y la dignidad propia y la de tus hijos.

Tener esta actitud depende mucho de tu congruencia, pero más de tu consistencia.

Para mantenerte en el Sector IV necesitas congruencia y consistencia. Que tus hijos sepan con claridad a qué atenerse contigo.

> **Congruencia significa actuar como dices y piensas; Consistencia significa actuar congruentemente de manera permanente.**

Pocas cosas son tan desconcertantes como una mamá o un papá que permite conductas porque "está de buen humor", y posteriormente prohibe las mismas conductas porque "está de mal humor". La "educación por estado de ánimo" o "educación hormonal", que obedece al capricho, al humor o al estado hormonal de los padres, no logrará absolutamente ningún resultado positivo. Los hijos aprenden a manipular, a aparentar para obtener beneficios de sus padres, pero no aprenden valores constructivos ni para ellos mismos ni para la sociedad en la que viven.

En la vida hay limitaciones y tanto nosotros como nuestros hijos debemos reconocerlas. Dentro de estas limitaciones existe la libertad. Sin límites no hay libertad, hay mera confusión.

3.4 • SUGERENCIAS ÚTILES PARA PREPARAR/REPARAR EL TERRENO PARA UNA DISCIPLINA INTELIGENTE

1. Trata de ser congruente, actuando tal y como dices que se debe de actuar

2. Trata de ser consistente, conservando la congruencia a lo largo del tiempo.

3. Escucha más. No interrumpas para dar tu opinión, regañar o sermonear sin tener toda la información. Escucha y trata de comprender más desde la perspectiva de tu hijo, no sólo desde la tuya.

4. Emite tus opiniones aclarando que son sólo eso, opiniones. No eres el dueño de la "verdad única".

5. Clarifica los valores prioritarios de la casa y las reglas que de ellos se deriven. No corrijas según tu humor del día o del momento. Si algo no está permitido, no cedas porque estás "de buenas". Si algo está permitido, no lo prohibas sólo porque "estás de malas". No eduques con sorpresas, sé predecible en tu postura.

6. Enfatiza las habilidades de tus hijos, no sus inhabilidades. Ayúdalos con lo que les cuesta trabajo, pero refuerza más aquello en lo que son hábiles, para que sean mejores. Si refuerzas aquello sobre lo que no son hábiles, perderá valor todo aquello en lo que sobresalen.

7. Ten paciencia para que tu hijo haga las cosas a su propia manera y no como tú esperas que las haga. Respeta sus tiempos de aprendizaje y su velocidad de respuesta, ya sea que estén por debajo o por encima del tuyo.

8. No le pegues, no lo ofendas, no te burles de él ni lo insultes. Respeta siempre su dignidad. ¿Cómo esperas que tenga autoestima si no le enseñas a tener autodignidad para merecer ser tratado con respeto y amor?

9. Muestra tu afecto. Manifiéstale de alguna manera clara que lo amas sin condiciones. Reconócelo por ser, no sólo por una buena conducta. Hazlo con palabras o con caricias. Sólo cuida no sobrepasar su límite de tolerancia a las caricias.

10. No lo manejes con chantajes o culpándolo. La culpa sólo produce remordimiento pero no genera conductas de cambio constructivo. La responsabilidad no debe confundirse con la culpa. La responsabilidad genera respuestas de cambio constructivo.

3.5 • TRES PRINCIPIOS PARA QUE TUS HIJOS SE SIENTAN PARTE IMPORTANTE DE LA FAMILIA

El sentido de pertenencia que tus hijos tengan respecto a su familia es una garantía para mejorar la convivencia cotidiana. Puede haber conflictos, pleitos, desacuerdos pero siempre existirá ese sentimiento profundo de amor, derivado de sentirse unido por lazos invisibles pero indivisibles de pertenencia, lo que permitirá que las reconciliaciones, la tolerancia y el perdón existan.

No puedes aspirar a que tus hijos realmente se sientan parte de esa abstracción llamada familia si sólo se habla de unidad, lazos, "sangre" y en la práctica sólo hay un cúmulo de neurosis compartidas y resentimientos no expresados.

Una persona se siente parte de un grupo o comunidad cuando es incluida en su proceso de comunicación. ¿Nunca te hicieron "la ley del hielo" en algún grupo de la escuela o del vecindario?. Te sientes aislado y rechazado. Haz sentir a tus hijos parte del grupo familiar comunicándoles la información relevante de lo que sucede en la casa, y en asuntos externos también aunque los afecten para bien o para mal. Los hijos no sólo necesitan que alguien los escuche, también se sienten muy bien cuando tú les expresas tus propios sentimientos; se sienten tomados en cuenta como personas. Pero por favor no vayas a exagerar y los adoptes como terapeutas. Expresar tus necesidades y sentimientos respecto a situaciones cotidianas o extraordinarias, es un medio saludable de integración familiar.

Comparte información y sentimientos con tus hijos.

Si atraviesas por problemas en el trabajo y te falta dinero, es importante que lo sepan para que se ajusten a la nueva situación. No trates de aparentar "que no pasa nada"; sí pasa y ellos deben saberlo para que toda la familia actúe conjunta y solidariamente.

Sentido de Pertenencia Familiar

- Comparte información y sentimientos con tus hijos.

- Proporciona autonomía por medio de fronteras.

- Sustituye la autoridad inapelable por la comunicación de beneficios colectivos y de valores claros.

Es una práctica muy extendida el ocultar los problemas a los hijos. Claro que hay situaciones privadas de la pareja que no deben contaminarlos, pero hay otras, como enfermedades, limitaciones económicas, muertes, viajes, cambios de escuelas, etc., que deben comentarse con tacto y de acuerdo con la edad, pero que sí deben ser compartidas por la comunidad familiar.

Una actitud de "aquí no pasa nada" cuando sí está pasando no protege a los hijos del sufrimiento; al contrario, lo perciben, y al no saber procesarlo se queda acumulado, encubierto, pudriéndose como agua estancada. El comunicar maduramente los asuntos del hogar, propicia la madurez de sus miembros, incluso de los más pequeños.

Deja que tus hijos aprendan a resolver sus propios problemas sin que tengas que intervenir constantemente.

Márcales claramente cuáles son los límites permitidos para actuar y, una vez aclarado esto, déjalos en paz. Por ejemplo: después de enseñarles a organizarse para realizar sus tareas escolares puedes marcar el límite, no negociable, de que no está permitido dejar de hacer las tareas de la escuela. Una vez establecido dicho límite, déjalos en paz sobre cómo, dónde y cuándo hacerla.

Proporciona autonomía por medio de fronteras.

El truco es definir con claridad las fronteras y otorgarles la libertad de moverse a su antojo dentro de dichas fronteras. De otra forma, ¿cómo esperas que sean independientes y aptos para vivir su propia vida si nunca los dejas experimentar su autonomía?. Aunque suene paradójico, la autonomía requiere de fronteras, así como la responsabilidad requiere de libertad para poder existir.

Aunque tú seas la autoridad en el hogar, no te creas infalible. Es mejor convencer que imponer. Ya sé que en ocasiones no queda más remedio que imponer tu punto de vista, pues también los ni-

SIMPLICIDAD

"Siempre existe la posibilidad
de que haya una forma
más simple de hacer las cosas.
Aunque no siempre sea así,
vale la pena invertir algún tiempo
en pensar y hacer un esfuerzo
creativo para intentar hallar
un enfoque más simple."

"Las cosas siempre tienden
hacia la complejidad,
no hacia la simplicidad."

"La simplicidad no es natural.
Has de elegirla para que suceda."

—Edward de Bono
"Simplicidad"

ños pueden llegar a ponerse muy tercos o necios; sin embargo, esto debe ser ocasional y en casos extremos; la mayoría de las veces debes operar sobre la base de acuerdos.

Sustituye la autoridad inapelable por la comunicación de beneficios colectivos y de valores claros.

Para lograrlo, es necesario comunicar con claridad los beneficios de una decisión o clarificar por qué actuar de una determinada manera. Así, el cumplimiento de esa conducta estará basada en un valor claramente expresable, sin explicaciones complicadas.

Por ejemplo, explícale que X actitud no fue honesta o aclárale por qué dejar de hacer algo puede ser poco solidario con la familia, dependiendo del caso.

También es conveniente ceder en ocasiones y dejar que los hijos decidan algo aunque tú prefieras otra cosa, siempre y cuando se mantengan dentro de límites sensatos establecidos por valores claros.

Capítulo 4
Cómo educar en valores

4.1 • *¿Qué son y para qué sirven los valores?*

4.2 • *Cómo evitar ser radical o exagerar la postura respecto a los valores*

4.3 • *"Paquete" de valores prioritarios*

4.4 • *Pasos para educar con base en valores*

4.5 • *Manual para la elaboración de reglas positivas y aplicables.*

"La educación es en última instancia educación ética."

"Libertad no es elegir
lo que a uno se le antoja.
Ahí quizá comienza la libertad.
Pero se realiza cuando eso
que uno ha elegido,
lo carga sobre los hombros y dice:
"es mío, yo me hago cargo de la carga,
lo elijo antes de hacerlo
y después de hacerlo".
Puede el hombre, inclusive,
reconocer que se ha equivocado,
que obró mal,
que hubo un error.
Ese es el segundo momento,
el de la responsabilidad
y el de la rectificación,
cualquiera que ésta sea."

—Jaime Barylko
"El Miedo a Educar"

Capítulo 4
Cómo educar en valores

4.1 • ¿QUÉ SON Y PARA QUÉ SIRVEN LOS VALORES?

Contesta honestamente estas tres preguntas:
- ¿Qué valores estoy realmente tratando de inculcar en mis hijos?
- ¿Es mi conducta cotidiana congruente con dichos valores?
- ¿Soy consistente en dicha congruencia o sólo lo soy esporádicamente?

Los valores son fundamentales para educar exitosamente desde la perspectiva formativa que hemos planteado.

Ahora es el momento de regresar al tema y relacionarlo con su uso en el acto educativo. Recuerda el concepto de valores anteriormente mencionado:

Los valores son referencias fundamentales, profundamente arraigadas, que te sirven para jerarquizar tu vida, tomar decisiones, y evaluar tu propia conducta y la de los demás en diversos grados de aceptación o rechazo.

Son referencias fundamentales de las que se deriva todo un sistema de creencias, ideas, ideales, pensamientos y actitudes, que desembocan en las emociones que determinan tus conductas.

197

"Antes que hacer algo,
tiene cada hombre que decidir,
por su cuenta y riesgo lo que va a hacer.
Pero esta decisión es imposible si el hombre
no posee algunas convicciones sobre
lo que son las cosas en su derredor,
los otros hombres, él mismo.
Sólo en vista de ellas puede preferir
una acción a otra, puede en suma, vivir."

"Yo soy yo y mis circunstancias"

—Ortega y Gasset

Para enseñarlos, los valores se expresan por lo general en una o en pocas palabras; por ejemplo:

Respeto
Responsabilidad
Libertad
Verdad

Estos son algunos ejemplos de valores, que pueden llamarse "universales" porque son comúnmente aceptados en la mayoría de las culturas del mundo; son aceptados por casi toda comunidad, familia o persona. Sin embargo, la importancia relativa de cada valor puede variar de una cultura a otra. Es decir, un valor puede ser más importante que otro según el grupo o persona que los sustenta.

De acuerdo con **Pedro Ortega Ruiz** y **Ramón Mínguez Vallejos** en su libro *"Los Valores en la Educación"*:

"El término valor tiene su etimología en el verbo latino *valere*, que significa estar sano y fuerte; a partir de esta noción de fuerza, la significación se amplió de la esfera orgánica y física a los ámbitos psicológico, ético, social, económico, artístico, etc. Los valores son estudiados por la Axiología (del griego *axios* = valor); teoría filosófica que conceptualiza las nociones de lo valioso en diversos campos."

Las principales características de los valores son:

DURABILIDAD: Se manifiestan a lo largo de toda la vida.

SATISFACCIÓN: Su práctica genera orgullo personal.

INTEGRALIDAD: No son divisibles.

TRASCENDENCIA: Le dan significado y sentido a la vida humana y a la sociedad.

DINAMISMO: Se interpretan de manera diferente según la época.

APLICABILIDAD: Tienen "frutos" o conductas resultantes que permiten su aplicación cotidiana.

JERARQUÍA: Algunos valores pueden considerarse más importantes o prioritarios que otros.

Evita el concepto de "Escala de Valores"

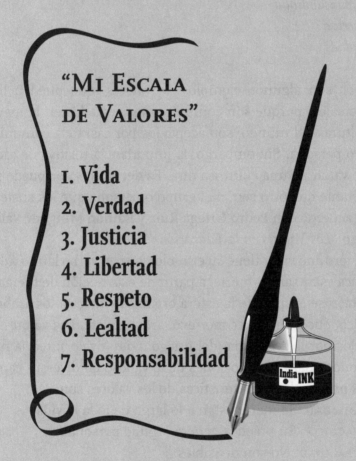

"MI ESCALA
DE VALORES"

1. Vida
2. Verdad
3. Justicia
4. Libertad
5. Respeto
6. Lealtad
7. Responsabilidad

Este ordenamiento te da un punto de vista "lineal",
limitado y rígido para evaluar situaciones
y tomar decisiones complejas.

PUNTO DE VISTA LINEAL

FLEXIBILIDAD: Cambian su jerarquización según las etapas, necesidades y experiencias de las personas.

POLARIDAD: Todo valor puede ser aplicado orientándose hacia la vida o hacia la muerte, por lo que existen los valores y los antivalores.

4.2 • CÓMO EVITAR SER RADICAL O EXAGERAR LA POSTURA RESPECTO A LOS VALORES

Te sugiero NO utilizar el concepto **"Escala de Valores"** porque puede limitarte mucho en la forma de poner en práctica tus valores y conducirte a posturas rígidas o incluso radicales, fanáticas e intolerantes.

Hay **una serie de valores** que cada persona concibe como prioritarios; **no hay sólo un valor prioritario por encima de todos**. En realidad posees una serie de valores prioritarios que te sirven como referencia constante.

Hablar de escalas de valores que obligan a entender esto de manera lineal y rígida, en una lista vertical y numerada, lo considero irreal, pues las circunstancias de la vida nos enfrentan a situaciones complejas en las que lo que teníamos pensado hacer ante determinadas circunstancias, puede ser totalmente trastornado por variables no contempladas originalmente.

Un esquema mental del tipo **"Escala de Valores"** no te será funcional al enfrentarte a situaciones complejas en las que exista un conflicto entre valores y una mayor cantidad de factores que exijan una visión más amplia para poder tomar una decisión acertada.

Ante el embarazo no deseado de una hija, un pleito familiar por una herencia, un abuso sexual, un homicidio imprudencial, el descubrimiento de consumo de drogas por algún miembro de la familia, o incluso ante circunstancias no tan dramáticas como la nueva novia de tu hijo, la cual no te agrada, o su exceso de parrandas y sus bajas calificaciones, no puedes actuar teniendo como referencia sólo un valor prioritario, superior a todos los demás, puesto que en esas situaciones entran en juego muchas variables, como tu circunstancia personal, su circunstancia per-

"Paquete" de Valores Prioritarios

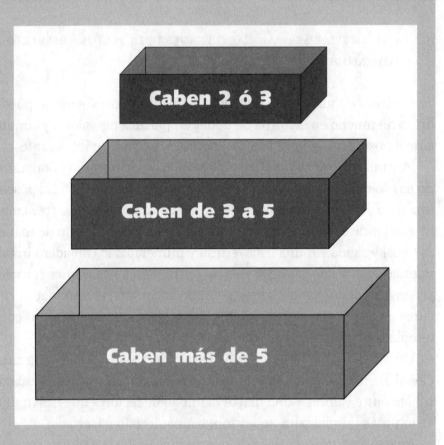

Caben 2 ó 3

Caben de 3 a 5

Caben más de 5

Este ordenamiento te facilita un punto de vista "simultáneo", enriquecido y más amplio para evaluar situaciones y tomar decisiones complejas.

PUNTO DE VISTA SIMULTÁNEO

sonal, el entorno familiar, los antecedentes, el amor que sentimos, etc.

Si tu perspectiva se deriva de **un valor único**, esto te limitará y perderás la visión de otros posibles enfoques.

A partir de un valor, defines todo un campo de acción y tienes certeza de los límites de dicha acción. Si actúas en función de un solo valor, será mayor la probabilidad de error y de que posteriormente te arrepientas ya que los valores inciden directamente en nuestras decisiones y conductas frente a hechos y circunstancias difíciles.

Cuando colocas un valor por encima de todos los demás, limitas demasiado tu percepción de las cosas y corres el riesgo de radicalizar tu postura.

4.3 • "PAQUETE" DE VALORES PRIORITARIOS

Es preferible que utilices un esquema llamado **"Valores Prioritarios"**, en el que incluyas **varios valores** con prioridades similares.

Si tienes un "paquete" de valores para barajar ante circunstancias difíciles, dispones de más opciones y de mayor flexibilidad para abordar dicha circunstancia con más alternativas y mayor diversidad de enfoques, por lo tanto, incrementarás tus posibilidades de éxito.

En lugar de asumir un **punto de vista lineal de valores**, y de ir evaluando la situación con base en un solo valor y luego en el siguiente de tu **Escala de Valores**, con lo que pierdes la perspectiva de otros enfoques, te sugiero asumir un **punto de vista *simultáneo* de valores prioritarios**.

Imagina una cajonera, en cuya parte inferior hay un cajón grande, donde guardas valores que no quieres tirar pero que no usas seguido; arriba de este cajón se encuentra otro más pequeño, en donde guardas valores que son importantes para ti y que usas más seguido; y hasta arriba un cajón pequeño donde sólo caben los valores que realmente son prioritarios y utilizas cotidianamente; en él no hay cupo más que para dos o tres valores.

Pasos para educar con base en valores

1 DEFINE LOS 2 ó 3 VALORES QUE REALMENTE SEAN
LOS MÁS IMPORTANTES PARA TI
(LLENA TU CAJÓN SUPERIOR)

2 COTÉJALOS CON LOS DE TU PAREJA
O CON LOS DE LAS PERSONAS
QUE ESTÁN INVOLUCRADAS
EN LA EDUCACIÓN DE TUS HIJOS
(ABUELOS O FAMILIARES QUE
PASEN MUCHO TIEMPO CON ELLOS)

3 ACUERDEN CUÁLES SERÁN
LOS TRES VALORES
PRIORITARIOS EN SU HOGAR

4 ACUERDEN LAS REGLAS
BÁSICAS GENERALES QUE
SEAN NECESARIAS ELABORAR

ESCALA DE VALORES	PAQUETE DE VALORES PRIORITARIOS
• Se jerarquiza a partir de **un** valor prioritario	• Se jerarquiza a partir de **varios** valores prioritarios
• La visión y el análisis de situaciones pasa primero por dicho valor central	• La visión y el análisis de situaciones pasa primero por varios valores centrales
• Se corre el riesgo de descalificar otros enfoques y perspectivas	• Se enriquecen los enfoques y las perspectivas de la situación
• Se tiene un enfoque lineal ("un valor, luego el siguiente")	• Se tiene un enfoque simultáneo ("desde varios valores al mismo tiempo")

4.4 • PASOS PARA EDUCAR CON BASE EN VALORES

Una vez que hayas identificado los 2 ó 3 valores primordiales para ti, toma conciencia de que son tu punto de partida para educar inteligentemente.

Un objetivo disciplinario es un valor que deseamos inculcar en nuestros hijos. Las reglas del hogar son formas prácticas de vivir los valores prioritarios que los padres desean fomentar en sus hijos.

Las reglas por sí mismas no tienen sentido, a menos que previamente se defina con claridad el valor del cual emanan.

Por favor no confundas un valor con una obsesión personal. Un valor determina los límites pero también proporciona un amplio campo y muchas posibilidades de acción. Los valores no sólo tienen la función de limitar las acciones; si se les comprende bien, ayudan a actuar con libertad dentro de un marco de acción predecible.

Cuando los valores se comunican y viven con claridad, cuando uno demuestra con sus actos ser fiel a un valor, los hijos los asimilan y desaparece la necesidad de reglamentar tanto la conducta.

"Lo que Einstein demostró
en la física es igualmente
válido para todos los demás
aspectos del cosmos;
toda realidad es relativa,
no es más que una
de las posibles versiones
de cómo son las cosas.
Siempre hay múltiples
versiones de la realidad".

—Jaime Barylko
"El Miedo a Educar"

Puede ser que a veces abuses del establecimiento de reglas, que te intereses y preocupes demasiado por establecer límites, que incluso busques con afán información al respecto. Si es así, acabarás por reglamentar en exceso.

Reglamentar en exceso induce a romper las reglas.

Debe haber reglas básicas generales, unas cuantas que sean indispensables para fomentar la convivencia conforme a los valores prioritarios acordados en tu hogar, pero no debes reglamentar toda posible falta, porque caerás en la trampa de convertirte en una especie de policía vigilante o de juez impartidor de castigos... y entonces ¿a qué hora educarás?

Premiar y castigar no son actos educativos, sino amaestradores.

Te recomiendo que primero realices el ejercicio "Paquete de Valores Prioritarios", luego lo cotejes con tu pareja y/o personas involucradas en la educación de tus hijos, y sólo hasta entonces intentes redactar algunas reglas simples, prácticas y breves.

4.5 • MANUAL PARA LA ELABORACIÓN DE REGLAS POSITIVAS Y APLICABLES

Concretar reglas suena fácil pero no lo es. Elaborar y redactar correctamente una regla que realmente sea clara, positiva y aplicable es todo un arte.

Recuerda que las reglas no son los valores; son formas de vivir los valores. Las reglas emanan de los valores, pero no son lo mismo. **Las reglas son negociables; los valores no.**

Las reglas del hogar son formas prácticas de vivir los valores prioritarios que los padres desean fomentar en sus hijos.

Las reglas por sí mismas no tienen sentido, a menos que previamente se defina con claridad el valor del cual emanan.

Elaboración de reglas positivas y aplicables

1 EVITA EL EXCESO DE REGLAS, SÓLO DEBE REGLAMENTARSE LA CONDUCTA QUE GENERE CONFLICTOS CONSTANTES

2 SON CONDUCTAS DERIVADAS DE ALGÚN VALOR CLARAMENTE IDENTIFICABLE

3 INDICAN LA FORMA PARA PODER HACER ALGO, NO SÓLO LA PROHIBICIÓN

4 SON CONDUCTAS COMPLETAS EN SÍ MISMAS, NO CONDICIONES PARA OBTENER UN PRIVILEGIO O BENEFICIO POSTERIOR

5 SON BREVES Y NO INCLUYEN LAS CONSECUENCIAS EN CASO DE NO CUMPLIR CON ELLAS

6 SE MODIFICAN DE ACUERDO A LA EDAD Y ETAPA VITAL DE QUIENES AFECTA

7 LOS HIJOS DEBEN PARTICIPAR EN SU ELABORACIÓN Y REDACCIÓN

8 PUEDE HABER EXCEPCIONES A LAS REGLAS

Si intentas recitarles a tus hijos un listado de reglas sin que por principio de cuentas tú mismo tengas muy claro de qué valor provienen, te verás en aprietos cuando te cuestionen sobre el porqué y acabarás refugiándote en la autoridad impositiva del "¡porque soy tu padre y punto!" o acabarás improvisando vagas explicaciones que sólo los confundirán.

Algunos aspectos que deben considerarse para la elaboración y redacción de una regla positiva y aplicable:

1. EVITA EL EXCESO DE REGLAS, SÓLO DEBE REGLAMENTARSE LA CONDUCTA QUE GENERE CONFLICTOS CONTINUOS.

No tiene caso reglamentar cuando los valores están comunicados y clarificados. No te contagies de la enfermedad llamada "reglamentitis", la cual consiste en excederse en la promulgación de reglas en el hogar ya que luego los hijos se dedican a encontrar formas de romperlas. Sólo elabora las reglas que observes necesarias en función de que sean comportamientos que desatan conflictos de manera continua. El resto se maneja con acuerdos para cada ocasión.

¿Para qué poner reglas en situaciones que sólo requieren una llamada de atención?

2. LAS REGLAS SON CONDUCTAS DERIVADAS DE ALGÚN VALOR CLARAMENTE IDENTIFICABLE.

Si la regla es "CUMPLIR CON LOS HORARIOS ACORDADOS", no se requieren muchas explicaciones para vincularla con el valor **RESPONSABILIDAD**.

Si la regla es "AVISAR LO ANTES POSIBLE CUALQUIER CONTRATIEMPO QUE IMPIDA CUMPLIR CON LO ACORDADO", tampoco es difícil observar que dicha regla emana del valor **RESPETO**, ya que está siendo considerado con los demás ante la imposibilidad de cumplirlos.

*"Los valores
son los ingredientes
más importantes
de la civilización.
Es mediante los valores
como la sociedad transforma
conductas egoístas, agresivas,
en cooperación social
que mejora la vida de todos
y se interesa en la vida
de los demás."*

~Edward de Bono

3. INDICAN LA FORMA PARA PODER HACER ALGO, NO SÓLO LA PROHIBICIÓN.

Hay que procurar redactar la regla en positivo y no en negativo; por ejemplo: "SE PUEDE USAR LO AJENO SÓLO CON PERMISO DE SU DUEÑO" es algo mucho más aplicable y propicia una mejor convivencia en el hogar, que "NO SE PUEDE USAR LO QUE NO ES TUYO", pues su misma redacción es limitadora, cierra los márgenes de negociación, ya que simplemente "NO SE PUEDE...", en lugar de admitir opciones que permitirían realizar la acción deseada sin afectar a otros.

"LLEGAR PUNTUAL A LAS CITAS Y COMPROMISOS" en lugar de "NO LLEGAR TARDE A LAS CITAS Y COMPROMISOS".

"CUMPLIR CON TODAS LAS TAREAS ESCOLARES" en lugar de "ESTÁ PROHIBIDO NO CUMPLIR CON LAS TAREAS ESCOLARES"

"LAS DIFERENCIAS SE ARREGLAN DIALOGANDO" en lugar de "ESTÁ PROHIBIDO PELEARSE A GOLPES".

4. SON CONDUCTAS COMPLETAS EN SÍ MISMAS, NO CONDICIONES PARA OBTENER UN PRIVILEGIO O BENEFICIO POSTERIOR.

Las reglas no deben plantearse como condiciones:

"PARA SALIR A JUGAR, PRIMERO HAY QUE HACER LA TAREA" o "NO PUEDEN SALIR A JUGAR HASTA QUE HAGAN SU TAREA".

¿Entonces? Lo correcto sería:

"CUMPLIR CON TODAS LAS TAREAS ESCOLARES". No especifica a qué hora o después de qué o antes de qué, simplemente es "CUMPLIR CON TODAS LAS TAREAS ESCOLARES".

¿Qué tiene que ver jugar con hacer la tarea? Nada realmente. La relación sólo existe en tu imaginación. De hecho, muchas mamás piensan que la mejor hora para hacer la tarea es después de comer,

"Una persona cabalmente convencida
de la validez universal de la ley
de la causalidad no puede, ni siquiera
por un instante, contemplar la idea
de un ser que interfiere en el curso
de los acontecimientos...
Le es imposible concebir un Dios
que premia y castiga por la sencilla razón
de que los actos del hombre obedecen
a la necesidad, tanto externa como interna...
El comportamiento ético de un individuo
debe fundamentarse, en efecto,
en la compasión, la educación
y los lazos y necesidades sociales.
Sería triste la condición humana
si ésta tuviera que guardar la compostura
mediante el miedo al castigo
y la esperanza de un premio
después de la muerte."

—Albert Einstein

y sin embargo es cuando el niño está haciendo la digestión y le da sueño. Si este es tu caso, tal vez así te lo exigía tu propia mamá, y tú sólo lo repites por imitación, sin reflexionar.

"MANTENERSE LIMPIA DIARIAMENTE" es mejor que "SE PUEDE VER TV DESPUÉS DE BAÑARSE".

"ESTUDIAR DIARIAMENTE" es mejor que "HAY PERMISOS SÓLO SI TIENEN BUENAS CALIFICACIONES".

5. SON BREVES Y NO INCLUYEN LAS CONSECUENCIAS EN CASO DE NO CUMPLIR CON ELLAS.

Las reglas son sólo enunciados; no incluyen explicaciones sobre la razón por la cual se deben portar de una manera o de otra.

Simplemente se expresa la conducta esperada, sin "rollos" ni mayores explicaciones. Si te cuestionan sobre una regla, entonces explica el valor del cual emana.

Esta es una lista de reglas, que puede serte útil:

• "CUMPLIR CON LOS HORARIOS ACORDADOS"
• "AVISAR LO ANTES POSIBLE CUALQUIER CONTRATIEMPO
   QUE IMPIDA CUMPLIR CON LO ACORDADO"
• "SE PUEDE USAR LO AJENO SÓLO CON PERMISO
   DE SU DUEÑO"
• "LLEGAR PUNTUAL A LAS CITAS Y COMPROMISOS"
• "CUMPLIR CON TODAS LAS TAREAS ESCOLARES"
• "MANTENERSE LIMPIO DIARIAMENTE"
• "ESTUDIAR DIARIAMENTE"
• "SÓLO SE PIDE DE COMER LO QUE SE VA A COMER"
• "LAS DIFERENCIAS SE ARREGLAN DIALOGANDO"

Estos ejemplos de reglas emanan de valores fácilmente identificables; están redactadas en positivo (en lo posible), son conductas

"Trata a
un hombre
tal como es,
y seguirá siendo
lo que es.
Trata a un hombre
como puede
y debe ser,
y se convertirá
en lo que puede
y debe ser".

–Goethe

completas en sí mismas y no establecen condiciones para un permiso o privilegio; también son breves y no incluyen lo que les puede pasar si no cumplen con ellas. No significa que sean perfectas, sólo que son más eficaces que todo un discurso o una aburrida explicación.

6. SE MODIFICAN DE ACUERDO A LA EDAD Y ETAPA VITAL DE QUIENES AFECTA.

Las reglas deben evolucionar; pueden ser negociadas. En cambio los valores de los cuales emanan, no.

Las reglas para un pequeñito de cinco años de edad no pueden aplicarse para un niño de diez y mucho menos para un adolescente. Los acuerdos tomados en el hogar deben variar según la edad y circunstancias; si se estancan se vuelven obsoletos y los romperán abierta o encubiertamente. Es conveniente actualizarlos periódicamente.

7. LOS HIJOS DEBEN PARTICIPAR EN SU ELABORACIÓN Y REDACCIÓN.

Con el fin de que sean reglas eficaces, es necesario que los hijos se adueñen de ellas, que estén convencidos de que les conviene comportarse así; que las reglas aplican tanto para ellos como para los demás miembros de la familia.

El que ellos participen en su elaboración tiene varios beneficios ya mencionados:

A. *Los hace dueños de la regla.*
B. *Les otorga sentido de pertenencia, al hacerlos partícipes de una dinámica que afecta a toda la familia.*
C. *Les inculca el hábito de llegar a acuerdos sobre temas conflictivos, al practicar el diálogo como recurso de solución de problemas interpersonales.*

"...y ésta es la verdadera naturaleza de lo equitativo, una rectificación de la ley cuando la ley se queda corta debido a su universalidad."

—Aristóteles

D. *Se sustituye la autoridad inapelable de los padres por el convencimiento de beneficios y valores claros.*

E. *Se disminuye el riesgo de la doble moral derivada del temor.*

8. PUEDE HABER EXCEPCIONES A LAS REGLAS.

¿Puede haber excepciones a las reglas? Sí. Todo depende de las circunstancias, de la situación del momento, pero en esos casos deben ser excepciones; de otra manera, la regla resulta inoperante. Es decir, después de una excepción, debe volverse a la regla original.

Pongamos como ejemplo que en tu casa existe la regla "SE RESPETA EL SUEÑO DE LOS DEMÁS", pero esa noche en especial se quedaron a dormir sus primos y están riendo y jugando hasta tarde, incluso cuando los adultos ya se quieren dormir. Estoy de acuerdo con que les gruñas y les pidas que se callen, pero tienes que tomar en cuenta que esa situación no ocurre a diario y están muy emocionados, por lo que ni modo, tendrás que aguantarte u optar por ponerte la almohada encima y dejarlos en paz. Las noches siguientes podrás volver a actuar con firmeza para que te dejen dormir.

Capítulo 5
Disciplina estúpida

El cáncer en la educación:
Premios y Castigos

LOS PREMIOS:

- Condicionan "si haces X tendrás Z..."
- Condicionan "si no haces X tendrás el castigo Y..."
- Desvirtúan la acción deseada y le otorga mayor importancia al premio mismo.
- Trasladan la iniciativa a factores externos (el premio) y la persona pierde motivación interna.
- Le quitan a la conducta deseable su significado educativo, convirtiéndola, a través del premio, en una variante de "soborno".

LOS CASTIGOS:

- No redimen, tan sólo hieren.
- No cambian al individuo, lo atemorizan.
- Generan doble moral e hipocresía para evadirlos.
- Eliminan la responsabilidad e incorporan al mundo de la culpabilidad.
- Generan remordimiento como producto de la culpa, y refuerzan el seguir actuando destructivamente.
- Distraen en lugar de responsabilizar y enmendar, propiciando fantasías de venganza.

Capítulo 5
Disciplina estúpida

5.1 • EL CÁNCER EN LA EDUCACIÓN: PREMIOS Y CASTIGOS

El sistema de premios y castigos es el cáncer en la educación. Los premios y los castigos logran que el hijo obedezca, de allí la ilusión de que funcionan para educar pero en realidad se está condicionando su conducta de manera similar a la de una mascota. La cooperación, la formación y el crecimiento de un ser humano no se consigue con métodos para no humanos.

El premio y el castigo son los dos lados de la misma moneda para condicionar la conducta. Lo que hay que hacer es sacar de circulación dicha moneda, por lo tanto, hay que eliminar **ambos** métodos.

Utilizar el mecanismo de los Premios y los Castigos propicia personas irresponsables, con una doble moral e impide que los padres dimensionen correctamente la conducta inaceptable de sus hijos, propiciando reacciones exageradas ante actos, muchas veces, intrascendentes.

Eliminar los castigos de tu esquema de relación con tus hijos es algo que te va a costar mucho trabajo cuando así lo has hecho toda su vida (y toda tu vida). Más adelante verás algunas estrategias para lograrlo. Igualmente estoy seguro de que te va a costar el mismo tra-

Premiar una conducta, establece que dicha conducta no tiene valor por sí misma, ya que el premio es el que le otorga su valor.

Tu hijo repetirá la conducta deseada para obtener su premio, como cualquier mascota amaestrada...

Además, los premios condicionan de tal manera a la persona, que le quitan cualquier iniciativa para actuar si de por medio no hay algún premio que obtener.

Los reflejos condicionados no son parte de la educación, sino del amaestramiento.

Los premios están bien para las mascotas, no para las personas.

bajo eliminar el mecanismo de los premios, debido a que has creído toda tu vida que al premiar estás educando, que has estado reforzando conductas adecuadas... Lamento decirte que no es así; si has intentado reforzar conductas adecuadas con premios, lo que a tu hijo le importa son los premios, no se comporta adecuadamente porque le importe lo que le dices o tratas de inculcarle, sino por lo que le vas a dar "a cambio".

Para eliminar el mecanismo de Premios y Castigos, **te sugiero empezar por eliminar los Premios.**

Antes de entrar de lleno en el tema de las estrategias disciplinarias específicas para enfrentar conductas inaceptables de los hijos, hagamos una reflexión sobre los sistemas de premios y castigos que normalmente se aplican para "educarlos". **Premiar una acción determinada, establece que dicha acción no tiene valor por sí misma. El premio se vuelve más importante que la propia conducta premiada.**

Además, los premios condicionan de tal manera a la persona, que le van disminuyendo la iniciativa, ya que se acostumbra a actuar sólo si hay de por medio algún premio que obtener.

Si continúas ofreciéndole una suma de dinero a tu hijo "por cada 10 de calificación" que se saque en la escuela, no te extrañe si luego te exige más por pasar de año, y cuando no quieras o no puedas recompensarlo, él pensará que no tiene por qué sacar buenas calificaciones, ya que tú "no estás haciendo tu parte".

Al premiar, se le está quitando valor a la acción premiada, y se le está otorgando el valor al premio. Le estás bloqueando al niño la oportunidad de sentirse orgulloso por una determinada conducta y lo estás condicionando a actuar de una determinada manera para obtener el premio.

Estás educando a un ser humano, no amaestrando una foca, a la que si no le das pescados, no aplaude, ni hace sus gracias.

Además, los premios generalmente están asociados con la amenaza del castigo en caso de una conducta contraria a la esperada. Ya sea

¿CÓMO REFORZAR LAS CONDUCTAS POSITIVAS?

Con reconocimientos verbales...

y con reconocimientos afectivos...

TODA CONDUCTA ADECUADA A LOS VALORES PRIORITARIOS DEL HOGAR DEBE SER RECONOCIDA VERBAL Y/O AFECTIVAMENTE, NO PREMIADA.

PELIGRO:

No manifiestes tu reconocimiento afectivo exclusivamente durante los momentos en los que presenta la conducta deseada, pues se puede confundir con amor condicionado a dicha conducta, disparando **ansiedad de reconocimiento y aprobación.**

No le hagas sentir que tu amor está condicionado. "Si estudias te voy a querer mucho" o "si no estudias ya no te voy a querer" son pésimas opciones.

que se mencione o no, dicha amenaza está latente.

Entonces ¿qué hacer? ¿debes evitar reconocer las buenas conductas de tus hijos? ¿acaso no es necesario reforzar las conductas que están de acuerdo con los valores prioritarios definidos en el hogar? Por supuesto que sí. Lo único que estoy sugiriendo es que cambies el enfoque.

¿Qué hacer para reconocer la conducta cotidiana adecuada de tu hijo?

RECONOCIMIENTOS VERBALES Y AFECTIVOS

Para reconocer a tu hijo por algo que se espera de él, sólo utiliza el reconocimiento verbal, también se le llama: acuse de recibo. Felicítalo o dale las gracias o simplemente dile algo alentador como "muy bien". No es necesario más, pero tampoco escatimes en ello.

No confundas el reconocimiento con la adulación o la felicitación exagerada y ansiosa. Exprésalo de manera simple, sin muchos aspavientos; no lo compliques, sólo reconócelo.

> **Reconoce verbalmente todo lo que hacen de acuerdo con lo esperado; no lo dejes pasar desapercibido.**

Advertencia de peligro:

Cuando un niño recibe aprobación verbal como parte del trato cotidiano, no padece de "sed de aprobación". ¿Has observado alguna vez a un niño ansioso, "sediento" de reconocimiento? Esto ocurre porque no lo ha recibido y necesita una "sobredosis" o porque los padres han utilizado el reconocimiento como un condicionante de su cariño. Convierten el reconocimiento en una variante de premio: *"te quiero mucho porque eres un buen niño"* o en una variante de castigo: *"si te portas así, ya no te voy a querer..."* No finjas; lo vas a querer de todos modos. No le hagas sentir que tu amor está condicionado. Ámalo por ser y demuéstraselo... y cuando se porte de acuerdo con lo esperado, simplemente reconóceselo.

¿Y LOS REGALOS?

APRENDE A REGALAR.
SI QUIERES Y PUEDES
DARLE ALGO A TUS
HIJOS, REGÁLASELO
SIN CONDICIONES...

Son regalos, no son premios.

Regala por el placer de regalar, por el placer que te produce su cara de gusto cuando abre la caja de su regalo, no por todas las **razones equivocadas para "regalar":**

— ► Por culpa.

— ► Para quitártelo de encima y que ya no te dé lata.

— ► Para sustituir tu falta de atención.

— ► Para competir socialmente con los niños de su escuela o vecindario.

— ► Para que "valore" el esfuerzo.

— ► Para recompensarlo y así "educarlo".

Los premios son para las mascotas, no para las personas.

¿Y LOS REGALOS?

Si deseas regalarle algo a tu hijo, hazlo por el placer de hacerlo. No lo condiciones a su conducta. Evidentemente, si tu hijo está pasando por una racha de mala conducta, no le des el regalo en ese momento. Espera a que esa etapa haya pasado para que no vaya a percibir que le regalas cosas cuando se porta mal.

> **El reconocimiento afectivo se traduce en abrazos, besos o caricias. A veces es suficiente con un gesto afectuoso o una señal de aprobación.**

Disfruta el placer de dar sin condicionamientos.
Si quieres y puedes regalarle algo, simplemente hazlo.

Estoy seguro de que tú no aceptarías un regalo condicionado. Si tu pareja te regalara un reloj y te dijera *"siempre y cuando te portes bien..."* lo mandarías muy lejos con su "regalo". Si esto te parece tan evidente y claro entre adultos ¿por qué crees que no herirás la sensibilidad de un niño con este tipo de "estímulos"?

Excluye los premios de tu sistema disciplinario.

Los regalos son libres, son espontáneos... no los devalúes.

LA APARENTE EXCEPCIÓN

Considero que hay una excepción dentro de esta postura de eliminación de premios, que aplica cuando el niño o joven realiza algo excepcional, más allá de lo que se espera de él.

Recuerda que toda conducta que esté dentro de lo aceptable, dentro de lo que se espera de él, debe ser simplemente reconocida verbalmente, sin embargo en esta ocasión estoy hablando de **algo extraordinario**:

- *Obtuvo uno de los mejores promedios de la escuela,*
  no obstante haber estado enferma un buen tiempo.
- *Le regaló su beca a un compañero que la necesitaba más que él...*

El mayor peligro
para la mayoría
de nosotros no es
que nuestra meta
sea demasiado alta
y no la alcancemos,
sino que sea
demasiado baja
y la consigamos."

—Miguel Ángel Buonarroti

Cuando la buena conducta de un hijo **sobrepasa las expectativas y hace algo positivo para lo cual no se le condicionó**, entonces te recomiendo otorgarle un reconocimiento, más no un premio. Son diferentes. No son lo mismo, aunque puedan confundirse o parecerse. A diferencia de todas las características de los premios ya mencionadas, los reconocimientos tienen las siguientes características que los diferencian:

• Se otorgan después de realizada una determinada acción,
  sin que se haya condicionado o anticipado.
• Se otorgan sólo en **casos excepcionales**,
  no por haber actuado de acuerdo con lo esperado.
• Se enfatiza lo excepcional de la situación,
  reforzando la propia conducta, no el premio.

Advertencia de peligro:
Convertir el reconocimiento en premio sorpresa.
El reconocimiento debe mencionarse como tal: *"Es algo que quiero darte por lo que hiciste; aunque sé que lo hiciste porque tú querías hacerlo, es mi forma de darte las gracias o reconocer especialmente lo importante que fue."*

Un premio sorpresa (el cual hay que evitar) es aquel que tú le das cada vez que hace algo deseable, con la diferencia de que no lo anticipas, pero se vuelve costumbre. Por ejemplo; pasó de año con muy buen promedio y le das un regalo. Al año siguiente, sin que se lo anticipes, le das otro premio sorpresa por la misma razón. Se convierte en algo condicionado, con la diferencia de que no sabe qué le darás en cada ocasión, pero sabe que le darás algo "porque se lo ganó". Por pasar de año, normalmente sólo debes darle un reconocimiento verbal y afectivo, nada más.

> **El reconocimiento es excepcional y único. Lo cotidiano es el reconocimiento verbal y afectivo.**

Intenta educar de acuerdo con un hecho real de la vida:

"En la
naturaleza,
no existen
premios
ni castigos;
sólo existen
consecuencias."

–Robert Green Ingalls

En la naturaleza no hay premios ni castigos, sólo consecuencias.

Pensar en términos de ser premiados o castigados por algún agente externo a nosotros, elimina la responsabilidad y nos incorpora al pensamiento mágico y a la culpabilidad. **La culpa genera remordimiento; no obstante, se sigue actuando destructivamente, a diferencia de la responsabilidad, la cual genera respuestas constructivas de cambio para modificar la conducta destructiva.**

Si quieres fomentar la responsabilidad y la autocorrección de la conducta en tus hijos, debes afrontar el hecho de que la mayoría de las cosas que te suceden en la vida, buenas o malas, son consecuencia de lo que has hecho o de lo que has dejado de hacer.

Si un joven al que se le presta el auto, demuestra que no está preparado para conducir responsablemente, pues te enteras que bebió mientras manejaba a exceso de velocidad, entonces no es un castigo no prestarle el automóvil, es una consecuencia de **sus propios** actos. Si tu hija reprueba, es porque no estudió, no porque el maestro "la castigó", reprobándola.

Cuando tú castigas a tu hijo, por lo general le quitas un privilegio o recibe un golpe. Tu intención es que deje de comportarse como lo hace o que haga algo que no hace, pero en realidad, el castigo propicia la irresponsabilidad.

Por ejemplo; Miguel Alfonso le pega a su hermano y tú lo castigas prohibiéndole jugar con sus videojuegos. Miguel Alfonso no aprende a arreglar los conflictos con su hermano; sólo genera fantasías de venganza contra él por la prohibición y el coraje que tiene debido a ello. Además, el pleito con el hermano y la prohibición de jugar con el video juego son cosas que no tienen relación alguna entre sí.

Constituyen una vinculación artificial de aparente "causa" y "efecto": *"si le pegas a tu hermano no hay videojuego – si no le pegas hay videojuego".* Insisto ¿qué tiene que ver una cosa con otra? Nada. Tal vez los castigas por tu desesperación de no saber qué hacer para que no se peleen.

"Una consecuencia dolorosa
o desfavorable de una clase de conductas,
es interpretada como una sanción natural..."

"Aprendemos cómo comportarnos a partir
de las consecuencias dolorosas de nuestra conducta
y evitamos las conductas
que tienen esas consecuencias.
Expresado en lenguaje normativo,
se dice que alguien debe comportarse de manera
que evite las consecuencias dolorosas.
Debe realizarse la conducta contraria
a aquella que produce dolor."

"Esto lo podemos expresar diciendo que en
nuestra propia carne se han grabado las normas
que con nuestra conducta hemos violado.
Es muy difícil encontrar un sentido normativo
a tales dolores, encontrar la norma misma
a partir de nuestros sufrimientos.
Generalmente, esto no se encuentra nunca."

"El castigo no redime, tan sólo hiere.
No cambia al individuo, lo atemoriza."

–Ulises Schmill Ordóñez
"La Conducta del Jabalí"

Entonces ¿qué hay que hacer? Intervenir si hay golpes, impedirlos, aplicar los pasos explicados en el tema *"Hay pleitos en el hogar"* del CATÁLOGO DE CULPAS y tratar de **arreglar el pleito con el hermano a través del diálogo con él**, no prohibiéndole jugar video juegos.

La responsabilidad de los propios actos y sus consecuencias es uno de los factores que considero determinan la salud mental de una persona. Cuando alguien no reconoce que sus decisiones lo llevaron a su situación actual, tiende a culpar a otros de sus circunstancias. Puede ser aterrador darse cuenta del poder que ejerce cada quien sobre su propia vida, pero yo no veo otra ruta para vivir una vida que valga la pena de ser vivida, un estilo que dignifique la vida misma. Asumir la responsabilidad es difícil pero provoca cambios constructivos; culpar a otros es más fácil, pero no produce cambios, sólo autojustifica los errores.

5.2 • NO GRITES, NO PEGUES Y NO CASTIGUES

Gritar y pegar como parte del trato cotidiano ante situaciones inaceptables, hacen que el niño "se acostumbre" y se vuelva una especie de cínico calculador del riesgo y siga conduciéndose inaceptablemente o te tema y elabore fantasías de venganza debido a humillaciones, maltratos públicos y privados.

"Mi mamá grita y/o pega por todo... está loca" no es un pensamiento muy edificante y, sin embargo, muchos niños lo tienen, y es que hay padres que gritan y pegan porque el niño no se viste rápidamente antes de ir a la escuela, que gritan y pegan porque la niña no se lavó bien la cara, que gritan y pegan porque se le olvidó algún cuaderno, que gritan y pegan porque no comió bien, que gritan y pegan porque en el supermercado están "tocando todo", etc.

Estoy hablando de conductas cotidianas; nada trascendente; lo de todos los días.

Esto no amerita ni siquiera un análisis detenido, ni requiere mayor

*"El castigo sólo puede conducir
a sentimientos de odio, venganza, desafío,
culpabilidad, desmerecimiento
y autocompasión.
Un niño debería experimentar
las consecuencias de su mala conducta,
no un castigo."*

*"En una relación de amor
el castigo no tiene cabida."*

*"El problema con el castigo
es que no da resultado,
es una distracción que en lugar
de hacer que el niño
se arrepienta de lo que hizo
y piense en la forma
de enmendarse, se preocupa
con fantasías de venganza."*

—Dr. Haim Ginott

estudio ya que el problema no radica en la conducta del niño; él se está comportando como tal y haciendo lo que haría cualquier niño.

Trata de recordar tus propios sentimientos cuando tus padres te castigaban siendo menor. ¿Por qué

> **Hay otras posibilidades para resolver los problemas sin tener que ejercer un castigo.**

tus hijos van a sentir diferente ante castigos o actitudes similares?

Debes hacer el esfuerzo de utilizar tu imaginación y creatividad para encontrar alternativas al castigo; no te quedes anclado(a) al esquema mental de que sólo a través del dolor es posible lograr el aprendizaje.

De hecho, dicho esquema mental (dolor = aprendizaje) es en gran medida el causante de graves errores y, paradójicamente, de la repetición de dichos errores, pues se activa un mecanismo de autodefensa para "estar en lo correcto", a pesar de las consecuencias de nuestros actos.

Uno de los grandes problemas del castigo es que, además de activar mecanismos vengativos, dispara mecanismos de autojustificación para "ponerse uno mismo en lo correcto", a pesar de los evidentes errores de nuestra conducta. Es como acomodar todo en tu cabeza para "estar bien contigo mismo".

"No grites, no pegues y no castigues" es una frase que deberías tener siempre presente ante las conductas cotidianas de tus hijos.

¿Entonces qué hacer cuando se porten mal? ¿cómo corregir sin castigar?

En su excelente y práctico libro *"Cómo Hablar para que los Niños Escuchen y cómo Escuchar para que los Niños Hablen"*, **Adele Faber** y **Elaine Mazlish**, plantean alternativas prácticas para el castigo, por lo que voy a incluirlas aquí. Al ser alternativas tan prácticas, consideré oportuno incluir también los ejemplos de dicho libro. Los comentarios (entre paréntesis) sobre cada punto son míos:

ALTERNATIVAS PARA EL CASTIGO

1. Señalar una forma de ser útil.

2. Expresarle una enérgica desaprobación (sin atacar el carácter del niño)

3. Indicarle lo que esperas de él.

4. Demostrarle cómo cumplir en forma satisfactoria.

5. Ofrecerle una opción.

6. Emprender alguna acción.

7. Permitir que experimente las consecuencias de su mal comportamiento.

–Adele Faber y Elaine Mazlish
"Cómo Hablar para que los Niños Escuchen
y Cómo Escuchar para que los Niños Hablen"

1. Señalarle una forma de ser útil.

Por ejemplo: si el niño está "tocando todo" en el supermercado, en lugar de amenazarlo, gritarle o pegarle, indícale una forma de ser útil: *"si quieres ayudar, escoge tres limones grandes".*

(Una de las claves de la disciplina inteligente es fomentar el sentido de colaboración. A la mayoría de los niños les encanta sentirse útiles y necesarios, integrantes de una comunidad, y la forma de hacerlo es alentando su contribución. Pídeles ayuda para hacer el súper, para pintar, para limpiar, para arreglar).

2. Expresarle una enérgica desaprobación (sin atacar el carácter del niño).

Por ejemplo: en el mismo caso del supermercado, en lugar de calificarlo así: *"¡estás actuando como un animal salvaje, esta noche no verás televisión!"* o pegarle, exprésale una enérgica desaprobación (sin atacar su carácter): *"¡No me gusta lo que estás haciendo! Es muy molesto que los niños corran por los pasillos".*

(Pocas cosas tan humillantes para una persona, como el ser invalidado y devaluado por medio de "etiquetas", como ya vimos con anterioridad).

3. Indicarle lo que esperas de él.

Por ejemplo: *"necesito que me ayudes poniendo la mesa y así podamos comer cuanto antes".*

(No supongas que tu hijo(a) supone que sabe lo que tú supones que esperas de él o ella en un determinado momento, mejor, en un tono de colaboración, sin gritos, ni pleitos, indícale claramente lo que esperas que haga. Todavía no hay cursos de telepatía).

4. Demostrarle cómo cumplir en forma satisfactoria.

Por ejemplo: *"lo que ahora necesito es que dobles la ropa de esta forma. Avísame cuando hayas acabado."*

(La imitación es el primer paso del aprendizaje. Resulta hasta divertido cuando no se utiliza la rudeza innecesaria).

"Los niños necesitan límites claros,
Y nunca en nuestra historia
tantos niños han tenido
tan pocos límites.
Cuando la disciplina es justa
y lógica, incluso el niño
más pequeño puede entender
que es un tipo especial de afecto.
Una buena disciplina mantiene
el estrés al mínimo.
Ayuda a proteger al niño
de los peligros
y le proporciona la libertad
para encarar riesgos dentro
de unos límites garantizados.
La buena disciplina establece
que el niño no es el centro
de la familia ni del mundo."

—Dr. Archibald D. Hart
"Hijos con estrés"

5. Ofrecerle una opción.

Por ejemplo: en lugar de gritar *"¡si sigues corriendo te voy a pegar!"*, puedes ofrecerle una alternativa: *"Nada de correr, caminas o te sientas en el carrito. Tú eliges"*.

(La elección de una opción es un recurso generalmente eficaz. Que vea con claridad los efectos de sus decisiones).

6. Emprender alguna acción.

En la misma situación del supermercado, si el niño continúa corriendo, ignorando la opción anteriormente mencionada, en lugar de pegarle de nalgadas, conviene emprender una acción: lo tomas con firmeza, lo subes al carrito y le dices algo así: *"Veo que elegiste sentarte en el carrito"*, y lo sientas en él.

Algunos niños pueden hacer un **berrinche** espantoso en esta situación, otros simplemente se calmarán y el asunto se habrá resuelto. Lo que sí quedará claro es que no se te puede ignorar. Los berrinches merecen una mención especial, y es un aspecto que abordaré más adelante.

7. Permitir que experimente las consecuencias de su mal comportamiento.

Si el niño hizo un berrinche después de sentarlo en el carrito y tuviste que salir del supermercado, al día siguiente, sin discursos ni sermones, puedes dejarlo que experimente las consecuencias de su mal comportamiento no llevándolo contigo, aunque él te lo pida.

Tal vez pienses que el ejemplo es muy elemental, que es bueno pero incompleto para la gran variedad de circunstancias que ocurren cotidianamente. Te recomiendo que escribas un ejemplo de conducta inaceptable por parte de alguno de tus hijos y lo analices a la luz de estos siete pasos para que veas si pueden serte de utilidad.

Es un hecho que en lugar de castigos, tu hijo debe experimentar las consecuencias de su mal comportamiento; de otra forma, tu hi-

MANEJO DE BERRINCHES

I.   *NO hagas tú también un berrinche. Sé tú quien conserva la cordura a pesar de la falta de cordura temporal de tu hijo.*

II. *NO le grites (no compitas en volumen, tono e intensidad).*

III. *NO trates de razonar con él (por el momento no escucha, está bloqueado momentáneamente a todo intento de comunicación).*

IV. *NO le pegues (empeorará el berrinche).*

V.   *NO lo remedes o te burles de él (se puede poner frenético).*

VI. **Déjalo que acabe de hacer su berrinche, sólo intervén físicamente si intenta golpear a otros o destruir cosas que no le pertenecen. Si se golpea a sí mismo(a) deja que lo haga, hasta que comprenda que no le funciona lastimarse.**

VII. *Si la situación es embarazosa o muy molesta para otras personas, puedes salir del lugar con el niño en brazos (no arrastrándolo, por favor), espera entonces a que acabe el berrinche.*

VIII. *Si se le va el aire, ten en mente que una persona puede permanecer sin respirar aproximadamente un minuto sin sufrir ningún daño, por lo que te conviene esperar a que se le pase, de lo contrario, habrá encontrado una forma de chantaje asustándote. Si se pone azulado o realmente mal, puedes ayudarlo a reaccionar echándole un poco de agua en la cara (una gotas) o con una nalgada.*

IX. *Una vez que la situación se calme, debes sostener con él una breve plática, tranquila pero firme, en la que le dejes claro que los berrinches no son el camino para lograr lo que desea.*

Cuando un berrinche se desata como consecuencia de no haberle dado algo que deseaba, no cometas el error de concedérselo para evitar o acallar el berrinche, pues te convertirás en su esclavo(a) y harás de tu hijo un tirano.

jo puede aparentar que modifica su conducta para evadir el castigo, pero sin asumir la responsabilidad, escudándose en una doble moral, en la que frente a ti se comporta de cierta manera y a tus espaldas de otra. Algunos niños lo hacen y cuando son adolescentes, se convierten en verdaderos expertos de la simulación.

5.3 • LOS BERRINCHES

De acuerdo con las alternativas para eludir el castigo, anteriormente mencionadas, es muy probable que en algún momento tu hijo pueda intentar una manipulación muy común para salirse con la suya: me refiero al "berrinche". Éste, es una de las conductas que peor manejan la mayoría de los padres de familia. Estoy seguro de que puedes recordar con facilidad no uno sino varios ejemplos de niños haciendo berrinche y sus padres haciendo lo que no se debe hacer en dichas situaciones: pegando, gritando o cediendo para que ya no grite.

Varias veces me ha tocado presenciar a mamás haciendo peores berrinches que sus propios hijos, aunque en un estilo adulto, al cual se podrá llamar diferente pero en el fondo no es otra cosa que un berrinche más.

El primer problema al respecto es que puedes generar berrinches innecesarios (es una forma de decirlo, pues no hay berrinches necesarios) al ponerte tan terco(a) como tu hijo(a). Te pones terco y dices "no se va a salir con la suya", (deberías agregar "yo soy el que se va a salir con la mía"). Hay ocasiones en que realmente exiges cosas absurdas y ello dispara el berrinche de ambos.

No generes berrinches utilizando rudeza innecesaria o negando cosas que puedes permitirles a tus hijos sin mayor problema.

Berrinches en los restaurantes, en los supermercados, en los parques, a veces provocados por el mismo enganche emocional de los padres con nimiedades que no tienen realmente importancia y

— ESCENA I —

"¡No te levantas de la mesa hasta que te hayas acabado las albóndigas!"
El niño llora y dice que ya no quiere...
"¡Si no te las acabas, te las voy a dar también de cenar!"
El niño llora más fuerte y se tira al suelo haciendo un escandaloso berrinche...

— ESCENA 2 —

"Mami, ¿me compras esa paleta?"
"No porque ya es hora de comer y si te la comes se te quitará el hambre"
El niño insite, la mamá se niega y entonces el niño se tira al suelo frente a la caja del supermercado haciendo un escandaloso berrinche...
"¡está bien, ya no grites!, ¡toma tu maldita paleta y trágatela toda, pero ya cállate!"
el niño suspende el berrinche y se come su paleta...

que conviene dejar pasar.

Alguien tiene que poner la muestra de cordura cuando una de las partes la perdió. ¿A quién crees que le corresponde?.

Esta "encantadora" escena hogareña (ESCENA I) es un ejemplo adecuado para mostrar un berrinche "innecesario", pues por principio de cuentas, obligar a comer al niño es un error, ya que el hambre es un aspecto temperamental que no puede controlarse con gritos, o es una cuestión de estructura y horario en la que simplemente hay que vigilar que no coma a deshoras, cuando de hecho la mamá se está enfrascando en un pleito innecesario y haciendo también un berrinche, sin llorar pero gritando e incluso pegando (berrinche al estilo adulto)

En la ESCENA 2, el error es ceder para que ya cese el berrinche. El niño lo utilizará indefinidamente para obtener lo que desea manipulando la situación gracias a la desesperación que provoca en su mamá. Está bien que quiera limitarle a su hijo el consumo de dulces antes de comer, sin embargo se puede negociar y establecer un acuerdo:

"Te la compro, pero no te la comes entera ahorita, sólo una mordida y el resto después de comer ¿eh?".

Sólo trato de ejemplificar una posible salida que pueda ser más productiva que la de la escena planteada. Soy consciente de la cantidad de variables que pueden suceder en una situación así, pero tú como padre o madre en dichas circunstancias puedes negociar si te comunicas clara y firmemente.

Si el niño hace berrinche a pesar de todo, entonces que simplemente lo haga, tú aplicas los pasos VI, VII y IX del "Manejo de Berrinches" y que "con su pan se lo coma". Trata de incrementar tu tolerancia y autocontrol.

Cuando un niño tiene una baja tolerancia a la frustración te pone a prueba constantemente, y entonces es cuando las recomendaciones ofrecidas aquí pueden funcionarte.

ESTUPIDEZ
Definición 2

Asignar la misma importancia a asuntos que tienen diferente importancia entre sí.

No distinguir importancias relativas.

5.4 • DEFINICIÓN #2 DE ESTUPIDEZ

Esta definición de estupidez se aplica justamente al tema disciplinario ¿por qué? Porque en ocasiones abordas asuntos intrascendentes como si fueran muy importantes y aplicas una disciplina estúpida, es decir, tu estrategia no ayuda al niño o joven a distinguir entre lo importante y lo que no lo es; de ahí que aprenda tan sólo a "capotearte" para salirse con la suya, no a distinguir un valor importante que se ha puesto en riesgo.

DISCIPLINA ESTÚPIDA: *No distinguir la importancia relativa entre una falta y otra y aplicar medidas semejantes tanto a lo importante como a lo no importante. También significa actuar con demasiada firmeza ante faltas sin importancia o actuar con poca firmeza ante faltas graves.*

A veces, una falta leve es considerada como muy grave debido a algún factor circunstancial como tu mal humor o tu dolor de cabeza. En otra ocasión, minimizas una falta grave y la dejas pasar. De esta manera, el niño no distingue la gravedad o la falta de gravedad de la falta; aprende a cuidarse de sus padres de acuerdo con su humor del momento, y eso no es educar en valores, es fingir que se educa, basados en el capricho o en el estado de ánimo del momento.

Muchos padres me preguntan ansiosamente por "recetas" sobre qué hacer en x o z casos que presentan sus hijos. Antes de preocuparte por "qué hacer" pensando en las consecuencias o sanciones a aplicar, la mejor respuesta es: PRIMERO CLASIFICA LA GRAVEDAD DE LA FALTA DE ACUERDO CON LOS VALORES PRIORITARIOS DE TU HOGAR.

Se vuelve indispensable tener un criterio para clasificar la gravedad de las faltas de manera predecible y no según el humor del día, con el fin de ser **congruentes** y, sobre todo, **consistentes** ante nuestros hijos.

Capítulo 6
Disciplina inteligente

La disciplina es una guía
que ayuda a las personas a desarrollar
el control interno de sí mismas,
autodirigirse y a ser eficientes.
Si se quiere que dé resultado,
la disciplina requiere respeto
y confianza mutuos.

Por otra parte, el castigo requiere
control externo sobre una persona
por medio de la fuerza y coerción.
Los que ejercen el castigo
muy rara vez respetan o confían
en la persona castigada.

—Dr. Brian G. Gilmartin

Capítulo 6
Disciplina inteligente

6.1 • CLASIFICACIÓN DE IMPORTANCIA DE LAS FALTAS

Clasifica la gravedad de la falta de acuerdo con los valores prioritarios de tu hogar.

LA DISCIPLINA INTELIGENTE SIGNIFICA:
ACTUAR RECONOCIENDO QUE CADA CONDUCTA TIENE
IMPORTANCIA DIFERENTE Y QUE, POR ENDE,
SUS CONSECUENCIAS TAMBIÉN DEBEN SER DIFERENTES.

Si empiezas por clasificar correctamente las faltas, tendrás el cin-
cuenta por ciento resuelto para saber cómo actuar ante las conductas inaceptables de tus hijos.

**Las consecuencias que experimente el niño o joven en cuestión,
deben ser proporcionales a la gravedad de la falta,** en función de la
evaluación de los valores establecidos como prioritarios en la familia.

A. **Primero debes revisar tu propio paquete de valores prioritarios y
cotejarlos con los de tu pareja.** En caso de no tener pareja, los
puedes cotejar entonces con las personas con las que el niño convive cotidianamente (abuelos, tíos).

CLASIFICACIÓN DE FALTAS

FALTA LEVE   **FALTA INTERMEDIA**

¿Qué es una falta leve?

Una conducta que viola un valor que no representa una gran prioridad para la familia. Una falta que requiere corrección pero que no tiene mayores consecuencias.

¿Qué es una falta intermedia?

Una falta leve que se repite frecuentemente y que no se ha podido corregir a pesar de haberlo intentado con anterioridad. Una conducta que viola un valor que representa una prioridad importante para la familia.

LA GRAN MAYORÍA DE LAS CONDUCTAS INACEPTABLES DE LOS HIJOS PUEDEN CLASIFICARSE ENTRE LEVES E INTERMEDIAS.

NO DEBE CLASIFICARSE COMO GRAVE UNA FALTA QUE NO LO ES DEBIDO AL MAL HUMOR DEL MOMENTO O INCLUSO AL HARTAZGO Y CANSANCIO DE LOS PADRES.

AUNQUE ESTAS FALTAS SE TITULEN "LEVES" O "INTERMEDIAS", NO SIGNIFICA QUE NO SE DEBA ACTUAR PARA CORREGIRLAS, LO QUE SE BUSCA ES DIMENSIONAR ADECUADAMENTE SUS CONSECUENCIAS Y NO EXAGERAR ANTE ELLAS, ASÍ COMO TAMPOCO MINIMIZARLAS.

B. Luego debes **acordar qué valores serán los prioritarios en tu hogar**, a fin de contar con un punto de partida que te sirva de referencia para evaluar las importancias relativas de las posibles faltas en la conducta de tus hijos.

C. Hacer una **lista de las faltas más frecuentes que cometen tus hijos en general**, sin jerarquizar todavía, sólo enlistándolas.

D. Después debes **elaborar un reglamento breve y claro** que permita vivir dentro de dichos valores prioritarios.

E. A continuación **hay que ponerse de acuerdo sobre la importancia de cada una de las faltas enlistadas**, utilizando los siguientes criterios:

Observa que hay una flecha que vincula a las faltas leves con las intermedias, pues son las que cotidianamente ocurren, además de que pueden variar de clasificación de acuerdo con las circunstancias y los propios valores en cuestión.

Observa también que hay una línea divisoria gruesa para separar las faltas graves. Esto es debido a que es muy importante no mezclarlas, puesto que por lo general ocurren ocasionalmente y en realidad deben considerarse así de acuerdo con un criterio claro e incuestionable.

¿Cómo asignar la importancia de una falta?

La asignación de la importancia de una falta entre las categorías leve o intermedia, debe negociarse en pareja o con los involucrados en la educación de los hijos. Nadie ajeno a tu entorno familiar tiene derecho a decirte qué falta debe clasificarse como leve y cuál otra se debe clasificar como intermedia, pues esto depende de tus propios valores

Principios de Negociación

- PRIMERA ALTERNATIVA: *"Yo gano y tú pierdes."*
- SEGUNDA ALTERNATIVA: *"Tú ganas y yo pierdo."*
- TERCERA ALTERNATIVA: *"Ganamos ambos."*

- La clave para encontrar la TERCERA ALTERNATIVA es buscar más allá de las diferencias para encontrar cosas en las que la mayoría pueda estar de acuerdo.

- Sacarle provecho a las diferencias es respetarlas y apreciarlas. Esto significa darle a la gente la libertad de pensar y considerar sus puntos de vista tan profundamente, como los nuestros. Las diferencias nos muestran dónde nuestra propia visión es incompleta. Ellas abren ventanas hacia mundos diferentes al nuestro. Las podemos ver como un beneficio o como una amenaza y al escoger uno u otro enfoque, determinamos la calidad de nuestras relaciones.

- La clave para encontrar la TERCERA ALTERNATIVA es mantener el proceso de comunicación. No es fácil lograr acuerdos "ganamos ambos". Algunas veces se vuelve frustrante y estamos tentados a romper la negociación. Pero la única manera de llegar a ella es diciendo: *"acordemos seguir hablando hasta que encontremos una opción con la cual ambos estemos satisfechos".*

prioritarios y de lo que puedas acordar en la intimidad, no de los valores de quien opina, siendo ésta una persona ajena a tu hogar.

Eso sí, te recomiendo no atacar los valores prioritarios de tu pareja, mejor negocia. Si hay discrepancia, cede en algunas cosas y presiona en otras que verdaderamente consideres fundamentales.

En esta etapa, puedes llevarte muchas sorpresas, para bien o para mal; tal vez redescubras a tu pareja y te des cuenta de que, a pesar de posibles desacuerdos y desavenencias, comparten valores prioritarios que les permiten navegar juntos en un mar de diferencias; o tal vez descubras que en realidad no tienes pareja, tienes esposo(a), lo que no siempre es lo mismo. Esto ocurre cuando observas que realmente no compartes ni lo fundamental, es más, que hasta pueden llegar a ser antagónicos entre sí con respecto a sus prioridades.

Ten cuidado para no caer en el extremo de buscar una "armonía total" de valores, pues en muchas ocasiones alguien puede mencionar un valor aparentemente distinto al tuyo pero su interpretación coincide con lo que tú entiendes por otro valor; por ejemplo: tu esposa menciona la *fidelidad* como un valor prioritario y tú te refieres a lo mismo pero utilizando la palabra *lealtad*.

Así que es muy importante que además de revisar el listado de valores prioritarios, se expliquen mutuamente la interpretación o lo que cada uno entiende por ellos.

Luego deben de revisar, a la luz de dicho paquete de valores prioritarios, el listado de conductas inaceptables más frecuentes que escribieron en el paso **C** anteriormente mencionado y, ahora sí, clasificarlas en una escala entre leves y regulares.

Posteriormente veremos qué hacer en consecuencia; recuerda que el 50% de la respuesta correcta la obtienes al clasificar adecuadamente la importancia de la falta.

Las faltas graves son harina de otro costal, que deben abordarse por separado.

Lo cotidiano son las leves y las intermedias, no las graves.

CLASIFICACIÓN DE FALTAS

Las FALTAS GRAVES sólo deberán
ser aquellas conductas que
**pongan en peligro real la vida
de tus hijos o la de otras personas.**

Toda conducta que sea o pueda ser
considerada DELITO, incluyendo la crueldad
y los posibles daños a la salud propia o ajena.

LAS FALTAS GRAVES POR LO GENERAL
SON EXCEPCIONALES A MENOS QUE EL NIÑO
O JOVEN PRESENTE UN COMPORTAMIENTO
PREOCUPANTEMENTE ANTISOCIAL,
EL CUAL REQUIERE DE TRATAMIENTO ESPECIALIZADO.

UTILIZAR ESTE CRITERIO PARA CLASIFICAR
LAS FALTAS GRAVES, ELIMINA LOS POSIBLES
DESACUERDOS DE LOS PADRES AL RESPECTO
Y AYUDA A DIMENSIONAR LAS FALTAS LEVES
O REGULARES, DIFERENCIÁNDOLAS
DE LAS VERDADERAMENTE GRAVES.

El equilibrio entre **Firmeza** y **Benevolencia** es indispensable a lo largo de todo este proceso, pero si tu hijo(a) comete una falta grave, que conforme al criterio establecido pone en riesgo su vida, la de otros o incluso comete una acción que puede ser considerada un **delito**, estas variables adquieren una importancia vital.

Como comprenderás, una falta del tipo no recoger sus juguetes, derramar diariamente la leche sobre su uniforme escolar justo antes de salir para la escuela, pelearse con el hermano, no irse a dormir, molestar a su hermana, no bañarse, decir groserías, etc., etc., pueden a lo mucho llegar a ser faltas intermedias, pero nunca serán graves.

Estoy de acuerdo contigo, pueden llegar a ser desesperantes, desquiciantes, que te den ganas de estrangularlo, que te produzcan la pérdida del cabello, pero nunca serán graves. Y es muy riesgoso clasificar una conducta como grave por el hecho de que ya estás harto(a). El hartazgo no es un criterio válido para calificar como grave el que tu hijo haya sido grosero con la vecina. Por supuesto que el insulto está mal y debe ser corregido, debe haber una consecuencia (ya elegirás cuál) pero no debes considerarla dentro de la categoría de grave.

Cuando hablo de faltas graves me estoy refiriendo a que ponen en riesgo no sólo un valor sino su vida misma o la de otros, o a la posible pérdida de su libertad por la comisión de un delito. **Perder la vida o la libertad, son los aspectos que mayores consecuencias nocivas pueden generar**, por lo que mi propuesta es que realmente elimines la clasificación de grave en todo lo que no entre dentro del criterio mencionado; repito, que reconozcas cuando realmente es grave con este criterio:

RIESGO DE PERDER LA VIDA, LA SALUD O LA LIBERTAD.
ANTE ESTAS FALTAS, DEBES EJERCER LA FIRMEZA SIN DUDA ALGUNA, EQUILIBRADA CON LA BENEVOLENCIA QUE SEGURAMENTE LAS AUTORIDADES OFICIALES NO TENDRÁN ANTE LA COMISIÓN DE UN DELITO.

Enfrentar Faltas Graves NO significa tener "licencia" para maltratar al menor, ni ejercer el abuso de poder.

"**PODER.** *El poder es la facultad de imponer la voluntad propia sobre la de otros, a fin de que éstos hagan o se abstengan de hacer algo, o acepten directa o indirectamente lo que en principio se hallaban dispuestos a rechazar".*
"El abuso de poder sucede en espacios donde cabe esperar que las víctimas reciban todo lo contrario: cuidado y respeto".

TIPOS DE MALTRATO

A. MALTRATO FÍSICO. Son aquellos actos violentos que dañan la integridad física de una persona: empujones, golpes y agresiones físicas más severas que pueden llegar a ocasionar la muerte.

B. MALTRATO PSICOLÓGICO. Se refiere a las palabras, gritos, gestos y/o hechos que avergüenzan, devalúan, humillan o paralizan a la víctima, incluyéndose también actos de indiferencia ante las necesidades de afecto intrafamiliar.

C. MALTRATO SEXUAL. Se refiere a los actos delictivos como la violación, el abuso y el hostigamiento sexual.

C. ABANDONO. Se refiere al abandono del hogar y de los hijos."

— **FRANCISCO ESCALANTE DE LA HIDALGA**
— **ROCÍO LÓPEZ OROZCO**
"Comportamientos Preocupantes en Niños y Adolescentes"

Más vale que ejerzas tú la firmeza necesaria y no que sea la policía quien se haga cargo de dicha falta, pues ellos no tendrán, insisto, la benevolencia que sólo los padres pueden darle a un hijo.

Evidentemente, tu firmeza será ejercida en relación con su edad y circunstancia, pero debe ser ejercida sin duda alguna.

Para que no te quede la menor duda sobre lo que pueden ser faltas graves, te ofrezco algunos ejemplos:

- *El pequeñito se suelta de tu mano y se atraviesa la calle.*
- *La niña se columpia en el barandal desde el tercer piso del centro comercial.*
- *La joven conduce el automóvil en estado de ebriedad.*
- *El joven "juega" sexualmente en el baño con la prima de 5 años de edad.*
- *El niño le clava el lápiz en la mejilla a su compañero de clase.*
- *El niño roba de una tienda un juego que no le quisieron comprar sus padres.*

¿Estoy siendo claro? Grave es grave en función de la vida y/o la libertad. No son tonterías hartantes o desesperantes, las cuales deben ser corregidas, pero nunca desde la misma perspectiva que las graves.

Cuando son Leves o Intermedias y tú pegas, gritas y castigas, estarás haciendo lo que un autor llamó *"matar cucarachas a balazos"*; es decir, utilizando una fuerza excesiva para resolver algo que no requiere tanta. A veces se trata tan sólo de un error, ni siquiera de una falta.

Si tú pegas, gritas y castigas cotidianamente ¿qué recurso te quedará cuando realmente haga algo grave? ¿lo azotarás? ¿lo crucificarás? Estás usando un arma de grueso calibre cuando no es necesario y perderás el impacto requerido para ayudar realmente a tu hijo a entender cuando haga algo realmente grave.

Si la constante son los gritos, los insultos o los golpes, hasta porque tocó las figuritas de porcelana china de "la tía Conchita", cuan-

"Sólo existen tres resortes fundamentales
en las acciones humanas,
y todos sus motivos se relacionan con éstos:
el EGOÍSMO, que quiere su propio bien
y no tiene límites;
la PERVERSIDAD, que desea el mal ajeno
y llega hasta la crueldad;
y la CONMISERACIÓN, que quiere el bien
del prójimo y llega a la generosidad
y la grandeza del alma."

"La conmiseración es el principio real
de toda la justicia libre
y de toda la caridad genuina."

"Quien no conoce la conmiseración
está fuera de la humanidad,
y la misma palabra "humanidad"
se toma como sinónimo de conmiseración."

—*Arturo Schopenhauer*
"La Moral"

do quieras impactar por algo realmente grave ya no tendrás impacto, ya se habrá acostumbrado a tus gritos; es más, hasta podrá calcular los riesgos y actuar cínicamente sabiendo lo que le espera.

Me relataron el caso de una niña que en una ocasión le dio a su madre la chancla con la que acostumbraba pegarle y le dijo *"pégame de una vez porque no pienso sentarme a hacer la tarea todavía"*. Esto puede sonar cómico, pero en el fondo revela una estrategia fallida que no educa, sólo produce conductas cínicas o hipócritas.

Por el contrario, si nunca pegas, gritas, insultas, ni castigas, sólo aplicas consecuencias proporcionales a la importancia de las faltas; el día que cometa una falta grave, podrás, por contraste, hacerle sentir con claridad que realmente lo que hizo estuvo muy mal. Realmente mal. ¿Se le puede pegar o gritar ante una falta grave? Claro que sí. Pero sólo en el caso de una falta grave, para que por contraste pueda diferenciar la importancia relativa.

Será un gran avance el que puedas dimensionar la verdadera importancia de las conductas inaceptables de tus hijos y que puedas entonces tener claridad sobre lo que debes y lo que no debes hacer.

Insisto, distinguir las importancias relativas de las faltas es el 50% de la respuesta a "¿qué hacer?" frente a la conducta inaceptable de tus hijos.

6.2 • CONSECUENCIAS PROPORCIONALES EN LUGAR DE CASTIGOS

Recuerda que la clave es **actuar proporcionalmente a la clasificación de cada falta comentida.** Esto es algo que tendrás que decidir en cada ocasión. No hay reglas o recetas aplicables a todos los casos.

Si tu hijo(a) comete una FALTA LEVE, puedes:

Actúa de acuerdo con la conducta específica que tu hijo presenta cada vez. En cada ocasión clasifica la falta.

Si tu hijo(a) comete una FALTA LEVE, puedes:

- **Llamar la atención** de manera firme. Usa un tono firme, no cariñoso. No lo "etiquetes", sólo indícale lo malo de la conducta en cuestión.

- **Manifestar tus sentimientos** por su conducta y decirle que no deseas comunicarte con él mientras actúe de esa manera.

- Si es necesario y está incomodando o interrumpiendo la convivencia familiar, **haz que salga del lugar** hasta que decida cambiar su comportamiento.

- **Señalar una forma de ser útil** para obtener su cooperación.

- **Describir la consecuencia inmediata y negativa de su conducta**, sin sermonear.

- **Decir con una sola palabra** lo que necesitas que haga o deje de hacer.

- **Escribir una nota breve** que exprese lo que necesitas que haga o cómo debe cambiar su conducta.

Es un "menú" de opciones, no llevan secuencia y a veces sólo es necesario usar una de ellas.

• **Llamar la atención** de manera firme.

Acuérdate de equilibrar la firmeza con la benevolencia como lo vimos en el subcapítulo dedicado al tema. Además, es especialmente importante, no transmitir mensajes contradictorios entre el significado de las palabras que usas para indicar tu desacuerdo con su conducta y la entonación para decírselo. Si tú le dices: *"¡no juegues con el toma corriente!"* Y luego agregas con cariño *"mi amor"*, estás transmitiendo dos mensajes contradictorios. Cuando llames la atención, sé firme, directo(a), sin concesiones. Esto no significa que lo insultes, le grites o lo humilles; corrige sin lastimar a la persona, no seas grosero(a) con tus hijos.

• **Manifestar tus sentimientos** por su conducta.

Algunos de los ejemplos a este respecto, que aparecen en el libro de **Adele Faber** y **Elaine Mazlish** anteriormente mencionado, son: el niño está tironeándote de la manga para decirte algo; en lugar de gritarle algo como: *"¡ya basta, eres de lo más molesto!"* ("etiquetado" y rudeza innecesaria) puedes manifestarle en un tono moderado tus sentimientos: *"no me gusta que me jalen de la manga"*.

Otro buen ejemplo es el de un joven que interrumpe lo que su madre le está diciendo y ésta, en lugar de gritarle *"¡estoy harta de que siempre me interrumpas, eres un grosero!"* ("etiquetado" y explosión desmedida) le manifiesta sus sentimientos: *"me siento muy mal cuando empiezo a decir algo y no me dejas terminar"*.

Este tipo de comunicación puede marcar la diferencia para que tus hijos realmente te escuchen, ya que actuando así no necesitan defenderse, pues no los estás atacando, sólo estás describiendo lo que sientes.

• **Hacer que salga del lugar** hasta que decida cambiar su comportamiento.

Esta es una opción que puedes seguir cuando alguno de tus hijos está cometiendo una FALTA LEVE pero que es molesta para los demás o

Clasificar la importancia relativa de las faltas evita entrar en el
CICLO DE LA VIOLENCIA INTRAFAMILIAR:

ACUMULACIÓN DE TENSIÓN

DESCARGA AGUDA DE VIOLENCIA

"RECONCILIACIÓN" VICTIMIZACIÓN

A. ACUMULACIÓN DE TENSIÓN: Cambios repentinos de ánimo del agresor, que comienza a reaccionar negativamente ante lo que siente como la frustración de sus deseos. Pequeños episodios de violencia escalan hasta alcanzar el ataque, los cuales son minimizados y justificados. La tensión aumenta.

B. DESCARGA AGUDA DE VIOLENCIA: Consiste en la descarga incontrolada de las tensiones contraídas. Fuerza destructiva de los ataques. El agresor comienza por querer "darle una lección" y termina encontrando que ha lastimado severamente a la otra persona. Le sigue un período de shock, de negación del hecho, en el que intenta justificarse y aparecen reacciones de depresión y desamparo.

C. "RECONCILIACIÓN": El agresor asume una actitud extremadamente amorosa y arrepentida, dándose cuenta de que ha ido demasiado lejos. La reconciliación es bienvenida por ambas partes pero, irónicamente, es el momento en que la victimización se completa.

– **Trejo Martínez**, 2001
– **Francisco Escalante de la Hidalga**
– **Rocío López Orozco**
"Comportamientos Preocupantes en Niños y Adolescentes"

impide la convivencia armónica. Se está pasando de la raya; está en la "frontera", a punto de convertirse en FALTA INTERMEDIA. Simplemente haz que salga del lugar y dile que puede volver cuando esté dispuesto a cambiar su conducta y pueda estar conviviendo en buenos términos con los demás. Si persiste, puedes sacarlo físicamente del lugar. Si te hace un berrinche, manéjalo de acuerdo con lo sugerido anteriormente al respecto. Que le quede claro que la consecuencia de su conducta poco sociable será no poder permanecer donde los demás están conviviendo, así como que la consecuencia de una conducta respetuosa con los demás, será la convivencia armónica.

• **Señalar una forma de ser útil** para obtener su cooperación.
Cualquier ser humano disfruta siendo útil y contribuyendo con la gente que ama. Cuando son adolescentes esto puede ser más difícil, pero no debes cejar en tu empeño por lograr que sean jóvenes colaboradores, aunque hay que aclararles la forma específica en que pueden ser útiles; no les digas sólo que cooperen sin mencionar cómo hacerlo.

En lugar de decir algo como *"¡haz algo, ayúdame, yo sola no puedo con todo!"*, puedes optar por indicar con precisión *"me ayudarías mucho si pones la mesa, por favor"*. En lugar de decir *"¡estáte quieto ya!"*, puedes decirle *"por favor escoge los mejores limones que encuentres y nos vamos pronto a la casa"*. En lugar de *"¡ya dejen de patearse y veamos la película en paz!"*, puedes decirles *"Marcela, trae los refrescos y tú, Raúl, prepara las palomitas para ver la película a gusto"*.

• **Describir la consecuencia inmediata y negativa de su conducta.**
Esta es una opción que debes ejecutar con mucha sencillez. No la compliques con sermones o explicaciones excesivas. Simplemente describe, no interpretes de más. Algunos ejemplos: si el niño está distraído jugando mientras se calienta el agua para bañarse, y ya está desperdiciándola, en lugar de gritarle *"¡eres un irresponsable!"* Abres las llaves y no te importa nada más que jugar. ¡¿Quieres que nos inundemos?!"

SIMPLICIDAD

"Sería mejor simplificar
un proceso que enseñar
a la gente a hacer frente
a la complejidad."

"La simplicidad es aún
más importante como
hábito mental permanente,
como estilo de pensamiento."

—Edward de Bono
"La simplicidad"

("etiquetado, reacción excesiva, acusación innecesaria) puedes optar por **simple** y **únicamente** describir lo que ves sin sermonar: *"Raúl, el agua ya está caliente y vas a acabar bañándote con agua fría"*.

Otro excelente ejemplo es el de una joven hablando por teléfono demasiado tiempo (¿te suena familiar?) y en lugar de gritar algo como *"¡otra vez colgada de la línea!, ¡si no aprendes a usar el teléfono, le voy a poner un candado!"*, puedes simple y únicamente describir: *"llevas hablando 20 minutos y necesito usar el teléfono ya, además de que no pueden entrar otras llamadas"*. Cuando describes el punto, sin gritos ni regaños, se les brinda a los niños o jóvenes una oportunidad para decirse a sí mismos lo que deben hacer. Comprendo que pueda serte difícil cambiar a este estilo, pero vale la pena intentarlo.

• **Decir con una sola palabra** lo que necesitas que haga o deje de hacer. Esta es la opción más simple y poderosa que hay. Tal vez, su poder radique precisamente en su simplicidad. Se trata de que digas con una sola palabra lo que necesitas que se haga o se deje de hacer.

Con una sola palabra.

En lugar de regañar odiosamente: *"¡ya les he dicho cientos de veces que se pongan la piyama y nada más se hacen los graciosos! ¡ya estoy cansada de que no me hagan caso!, ¡se quedan sin ver TV!"*, y así hasta la náusea ¿podrás decirlo con una sola palabra?: *"¡niños, las piyamas!"*. Inténtalo, descansarás tú y descansarán ellos.

En lugar de *"¡mira nada más! Ya te vas y se te olvida tu lunch. ¿Qué harías sin mí para recordarte las cosas. No te olvidas de la cabeza porque la traes pegada."* etc., mejor dilo con una sola palabra: *"Mariana: ¡tu lunch!"* se lo das y punto.

• **Escribir una breve nota** que exprese lo que necesitas.

En ocasiones, el lenguaje escrito es más efectivo que el verbal, sobre todo cuando se ha desgastado la relación por tanta insistencia en alguna conducta y el deseo de que la corrija. Entonces es conveniente recurrir

Si tu hijo(a) comete una FALTA INTERMEDIA, puedes:

• **Utilizar las primeras tres opciones mencionadas para las FALTAS LEVES.**

• **Acordar la reparación del daño causado** por violar una norma de conducta basada en un valor importante para la familia.

• **Ofrecerle una elección.** Establece posibilidades de corregir la conducta y lo que puede pasar si no la corrige, sin amenazar, sólo aclarando sus opciones.

• **Emprender alguna acción.** Basado(a) en la elección mencionada en el punto anterior, permite que experimente las consecuencias de su mal comportamiento. Luego acuerda posibles soluciones basadas en la modificación de su conducta.

Puedes recurrir a varias de estas opciones o incluso sólo una de ellas puede ser suficiente. No llevan secuencia. Puedes escoger la opción según se aplique a cada caso.

a una nota escrita: *"Shhh, mamá y papá están dormidos"* pegada en tu puerta, con letra grande un domingo por la mañana, puede ser una buena alternativa. Una nota pegada en el espejo del lavabo frente al cual se peina tu hija, que diga *"¡auxilio!, los cabellos me ahogan y luego vomito. Atentamente, tu lavabo"* puede funcionar mucho mejor que los gritos y repeticiones constantes para que cambie su conducta. Además, el sentido del humor es un buen recurso para aligerar las incomodidades de la convivencia cotidiana con otras personas, no sólo con los hijos.

Como puedes ver, hay una buena cantidad de alternativas para influir en nuestros hijos e incrementar su conciencia sobre su propia conducta sin llegar al castigo.

El exceso de castigos, de gritos y, sobre todo, de golpes por faltas leves, te desacreditan como madre o padre. Pierdes credibilidad ante los ojos de tus hijos, pues muestras falta de control y ausencia de sensatez. Además no puedes hablar de amor cuando tu conducta muestra resentimiento, hartazgo, cansancio o apatía por tu incapacidad para imaginar una mejor alternativa ante situaciones simples.

Recuerda que la clave es **actuar proporcionalmente a la clasificación de cada falta cometida.** Esto es algo que tendrás que decidir en cada ocasión. No hay reglas o recetas generales.

Si tu hijo(a) comete una FALTA INTERMEDIA, puedes:
Utilizar las primeras tres opciones mencionadas para las FALTAS LEVES.
• *Llamar la atención de manera firme.*
• *Manifestar tus sentimientos por su conducta.*
• *Hacer que salga del lugar hasta que decida cambiar su comportamiento.*

Son opciones igualmente útiles ante faltas intermedias; lo que sí puedes modificar es tu tono de seriedad ante la situación: en las faltas leves tu tono es menos severo y el tiempo de corrección puede ser más corto.

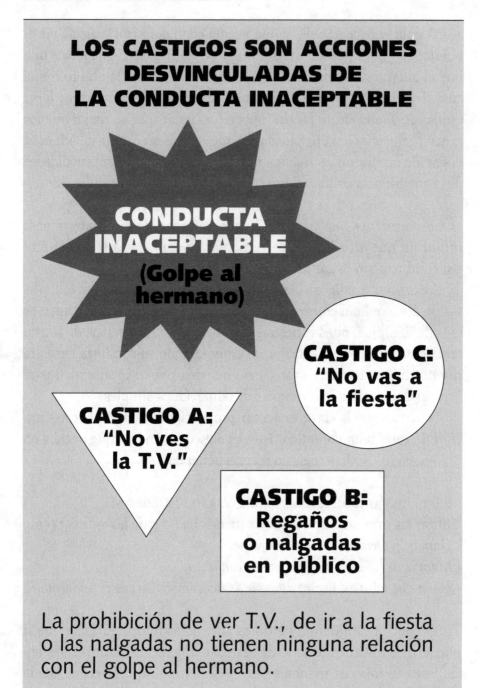

LOS CASTIGOS SON ACCIONES DESVINCULADAS DE LA CONDUCTA INACEPTABLE

CONDUCTA INACEPTABLE
(Golpe al hermano)

CASTIGO C:
"No vas a la fiesta"

CASTIGO A:
"No ves la T.V."

CASTIGO B:
Regaños o nalgadas en público

La prohibición de ver T.V., de ir a la fiesta o las nalgadas no tienen ninguna relación con el golpe al hermano.

Recuerda que muchas de las faltas intermedias lo son por repetición de faltas leves, así que sube un poco la intensidad pero no te excedas.

- **Acordar la reparación del daño causado.**

Si continuamente se presenta una conducta que es considerada falta intermedia en tu hogar e, incluso, ya has intentado diversas estrategias y han fracasado, entonces puedes, **en un momento de paz y buena convivencia**, adelantarte a la posible conducta inaceptable y platicar con tus hijos.

Pídeles que te digan alternativas de posibles reparaciones del daño causado por violar la norma en cuestión; por ejemplo: en caso de golpes entre hermanos *"¿de qué forma van a reparar el daño causado tanto al hermano como al ambiente familiar?".*

No deben ser medidas desvinculadas como *"no ver la TV"* o *"no salir el domingo";* tienen que ser reparaciones relacionadas directamente con la acción, como por ejemplo *"ayudar adicionalmente en la limpieza de la casa los dos juntos y colaborando"* o *"preparar la comida juntos".*

Debe ser algo que los enfrente con la necesidad de superar sus pleitos y asumir la responsabilidad de manejar la situación; de nada sirve castigarlos para que tengan el pretexto de inventar justificaciones a su mala conducta y le atribuyan el origen de sus males al otro.

Estoy seguro de que te sorprenderá la creatividad manifestada en algunas de sus sugerencias. Surgirán opciones que no se te hubieran ocurrido nunca. Por supuesto, también habrá niños o jóvenes que quieran pasarse de listos y te propongan "reparaciones" que no les afecten, tratando de minimizar su responsabilidad. Simplemente deséchalas, escúchalas pero no las aceptes. Define que deben ser reparaciones reales vinculadas con los hechos. No castigos. No te quiebres la cabeza inventándolas, pide su ayuda.

Las consecuencias deben estar relacionadas con las personas afectadas por las faltas. No deben ser castigos rebautizados como consecuencias; deben ser acciones para realmente reparar el daño.

LAS CONSECUENCIAS SON ACCIONES VINCULADAS CON LA CONDUCTA INACEPTABLE

CONDUCTA INACEPTABLE
(Golpe al hermano)

Ayuda a curar cualquier herida provocada por el golpe

No puede salir hasta que primero arregle el desacuerdo con su hermano a través del diálogo

Curar la herida provocada y dialogar hasta arreglar sus desacuerdos antes de cualquier otra nueva actividad, son acciones relacionadas con el golpe al hermano.

• **Ofrécele una elección.**

Como se mencionó en el subcapítulo titulado NO GRITES, NO PEGUES Y NO CASTIGUES el ofrecerle una opción no significa advertir o amenazar, significa ubicarlo para que se de cuenta de que su conducta es inaceptable y no tiene derecho a seguir actuando así sin que los demás hagan algo al respecto.

Si la niña llora y grita cada vez durante la hora de la comida familiar, pues tendrá que elegir entre calmarse (autocontrolarse), o abandonar la mesa e irse a un lugar adonde los demás no tengan que oírla. Esa será su elección.

Si la joven no cumple con los horarios de llegada a casa después de las fiestas, tendrá que elegir entre llegar a la hora acordada o no ir a la siguiente fiesta. Será su elección.

Si el niño no cumple con sus tiempos de estudio y está bajando de calificaciones por simple flojera e irresponsabilidad, tendrá que elegir entre cumplir con dichos tiempos o no hacer otra actividad hasta que los cumpla. Será su elección.

No son castigos: Irse de la mesa a llorar a otro lado, no ir a una fiesta o quedarse estudiando en vez de irse a jugar, no son castigos, son consecuencias de una elección que pones a su disposición.

Recordando los valores ¿cuáles son los valores involucrados en estas elecciones? En el primer caso el respeto, en el segundo y el tercero, la responsabilidad.

• **Emprende alguna acción y permite que experimente las consecuencias de su mal comportamiento.**

Este punto deriva de la aplicación de su elección conforme al punto anterior, la cual debe ser aplicada sin gritos ni sombrerazos. Ha sido su elección. Si hace berrinche, pues ni modo. Tú ofreciste la opción y él tomó una que luego no le gustó, o mejor dicho, que no creyó que se la cumplieras, o simplemente está midiendo hasta dónde cumples lo dicho.

CAPÍTULO 6 • DISCIPLINA INTELIGENTE

Las FALTAS GRAVES *se deben tratar con* FIRMEZA
*suficiente para que haya un contraste claro con respecto
al trato cotidiano y el infractor comprenda que la falta
fue realmente grave, pero conviene equilibrarla con*
BENEVOLENCIA *para darle la oportunidad de* **reparar el
daño causado** *y* **cerrar el ciclo psicológico** *del incidente.
Una vez cerrado no debe insistirse en ello.
Debe ser algo realmente concluido.
Si la* FIRMEZA *no se equilibra con la* BENEVOLENCIA
se convierte en maltrato:

"En cuanto a los niños se refiere, **Marckovich** establece
la siguiente clasificación de acuerdo con una investigación realizada en el Hospital Infantil de México:
1. **En cuanto al tipo de lesiones:** Predominan las quema-
duras (con cigarrillos, cucharas, brasas, hierros calientes),
los azotes (con reatas mojadas, cuerdas, varas de árbol,
tablas de madera) la inanición y el ayuno prolongado, los
baños de agua helada, los encierros y los amarres, el hin-
carlos en corcholatas, y la intoxicación con hierbas.
2. **Con relación al sujeto agresor:** El porcentaje más alto lo
ocupan las madres con un 39%, seguido por los padres
con un 19%, y los padrastros y madrastras con un 10%.
3. **En cuanto a la edad:** El porcentaje más alto se ubica
en un rango de 4 a 6 años (23%), luego el de 7 a 12
años con un 20%.
4. **En cuanto al sexo:** No existen diferencias significativas."

– **Francisco Escalante de la Hidalga**
– **Rocío López Orozco**
*"Comportamientos Preocupantes
en Niños y Adolescentes"*

En el ejemplo del punto anterior, relativo a la opción de cumplir con su tiempo diario de estudio o no hacer otra cosa hasta que lo cumpla, no le vas a imponer horarios, le vas a imponer el hecho de cumplir con el tiempo de estudio diario; él sabrá si lo hace temprano o tarde. Acuérdate del concepto **Autonomía por medio de Fronteras** mencionado anteriormente.

FALTAS GRAVES:
Recuerda que las FALTAS GRAVES son aquellas conductas que **pueden poner en peligro real la propia vida de tus hijos o la de otras personas.**

Son o pueden ser consideradas como DELITO, incluyendo la crueldad y repercutir en posibles daños a la salud propia o ajena.

Si a estas alturas todavía consideras FALTA GRAVE que diga groserías o que se porte mal en la casa de la abuela, entonces te recomiendo volver a leer el subcapítulo CLASIFICACIÓN DE IMPORTANCIA DE LAS FALTAS al principio de este mismo capítulo, pues a lo que me estoy refiriendo es grave en función de tres aspectos fundamentales que se ponen en riesgo con estas conductas:

LA **VIDA**, LA **SALUD** Y LA **LIBERTAD**.

La pérdida de estos derechos conlleva las peores consecuencias para todo ser humano.

FALTAS GRAVES de los hijos serían por ejemplo: una agresión física como "inyectar" con la punta del compás a los compañeros de clase, romperle el brazo al hermano, robar en una tienda o en la escuela, lo detengan o no, quemar las cortinas, que un adolescente intente abusar sexualmente de una menor. Conductas como éstas. No desperdicies tu "arma de grueso calibre" en problemas triviales que pueden manejarse con las acciones sugeridas para faltas leves o intermedias.

"No estoy en favor de que los niños
sean castigados. En primer lugar,
porque es bajo y vil, es una injuria.
Además de esto, si alguien tiene
un sentimiento tan poco noble
que no se corrija con una reprimenda,
también resistirá los golpes
como el más vil de los esclavos."

"Pero hoy, la negligencia de los
pedagogos parece estar presente
entre los niños: no los enseñan a hacer
bien las cosas, y los castigan porque
no lo hacen. Si coaccionas a un niño
con golpes, ¿qué harás con el joven
que no tendrá nada que temer,
al tiempo que debe aprender
cosas más importantes?"

—**Quintiliano**
"Reconocer el Talento"

Nunca será grave que el niño tire su chocolate con leche sobre el uniforme escolar justamente cinco minutos antes de salir para la escuela; podrá ser desesperante, incluso desquiciante, pero nunca grave, pues no está poniendo en peligro la vida o la integridad moral de nadie, ni la de él mismo.

No confundas el mal humor o una actitud retadora de tu hijo con una FALTA GRAVE. No "mates cucarachas a balazos". Si lo haces, estarás disciplinando estúpidamente, pues si actúas como si fuera una falta grave y le gritas o incluso le pegas por hacer cosas como las del chocolate derramado sobre el uniforme, tu hijo no distinguirá entre lo importante y lo no importante, pensará que a ti "te falta un tornillo" y acabará acostumbrándose a tus gritos. Se convertirá en un calculador de riesgos derivados de tus reacciones.

Si actúas así, estarás agotando tus opciones. Si pegas y gritas ante conductas sin tanta importancia ¿qué recurso te quedará cuando te enfrentes a algo verdaderamente grave? En cambio si tú nunca le gritas y nunca le pegas, y un día lo haces debido a una FALTA GRAVE, el impacto será real, será **contrastante** con tu conducta acostumbrada y asociará su acción con algo realmente importante, pues deducirá *"mi papá (mamá) nunca me grita o pega y ahora sí lo hizo, oh oh!... creo que ahora sí me pasé"*.

Las alternativas que se sugiere aplicar ante las FALTAS GRAVES pueden ser consideradas como castigos y eso resulta contradictorio con lo expuesto hasta ahora. Tal vez sea así, pero en estos casos son excepciones necesarias.

Recuerda lo mencionado anteriormente sobre la **Firmeza** y la **Benevolencia**. Más vale que seas tú lo suficientemente firme y no que dicha firmeza la ejerzan la policía judicial o los empleados de seguridad de la tienda donde detengan a tu hija por robar. Normalmente, este tipo de problemas surgen gradualmente, hay signos de advertencia que pueden presentarse en la escuela o en la casa y que los padres pueden abordar anticipadamente, antes de que desembo-

Si tu hijo(a) comete una FALTA GRAVE, puedes:

1 Llevar a cabo una **acción impactante** tanto física como emocionalmente.

2 Suprimir temporalmente **todos** sus privilegios y permisos.

3 Elaborar con tu hijo una **lista de acciones para reparar el daño** físico o moral ocasionado a otros o a sí mismo(a).

4 **Supervisar estrechamente el cumplimiento** de la lista de acciones de reparación del daño.

5 Cuando haya avanzado el cumplimiento de la lista anterior, hay que **propiciar su acercamiento para hablar sobre el tema, con el fin de que se exprese y se desahogue emocionalmente.**

6 Aclarar que la **conducta consistente** es la que le hará recuperar derechos, privilegios y permisos; no las promesas o conductas esporádicas.

7 Al terminar la lista de reparación, puede **recuperar su vida acostumbrada.**

quen en situaciones que involucren a terceros a quienes no les interese el bienestar de tu hijo, sino sólo castigarlo.

Si tu hijo(a) comete una FALTA GRAVE, puedes:

1. Llevar a cabo una acción impactante tanto física como emocionalmente. Si es pequeño(a), puedes darle **una** buena nalgada; si no es pequeño, una buena sacudida física, o un grito o un tono de voz que lo sorprendan, que realmente nunca te haya escuchado por su grado de amenaza. No temas "traumarlo". Te aseguro que la pérdida de la vida, de la salud o de la libertad sería más traumatizante.

Esto no significa que debas darle una bofetada, que lo golpees con el puño o con objetos que lo puedan lesionar, pues eso sería degradante, y de lo que se trata es de rescatarlo al final del camino.

Recuerda que empleas el impacto para contrastar con la conducta cotidiana, a fin de que pueda entonces distinguir que lo que hizo ahora es gravemente importante, no algo que simplemente estuvo mal hecho. Debe quedarle clarísimo. Se le debe "aparecer el diablo"; no debe percibir que sólo estás molesto(a), debe realmente impactarse por tu reacción.

2. Pérdida temporal de TODOS sus privilegios y permisos.
Consiste en una especie de "arraigo domiciliario", en una especie de estado de sitio en el hogar pero sólo en lo que a él respecta. Ten cuidado de no desquitarte con los demás miembros de la familia que no estén involucrados en la Falta Grave. La supresión debe ser realmente de todos sus privilegios, derechos y permisos. Que la pase mal. Sin importar los berrinches, que frente a esto, son totalmente secundarios.

Lo importante es seguir contrastando lo normal, lo cotidiano, con la nueva condición en la que cayó.

¿Es esto un castigo? No fue condicionado ni anticipado, pero como prefieras nombrarlo, debe suspenderse la TV, los juegos, las salidas; su única actividad será acudir a la escuela y permanecer en la

Ejemplos de listas para reparar el daño:

Si tiró una maceta desde un segundo piso y le cayó al auto de los vecinos, deben platicar para que haga algo al respecto:

1. *Disculparse personalmente.*
2. *Pagar a sus papás la reparación del auto con sus domingos.*
3. *Preguntar a los vecinos si ya está bien arreglado su carro.*

Si condujo en estado de ebriedad el auto de la casa:

1. *Ya no se lo presta para su uso personal.*
2. *Pagará cualquier daño ocasionado a otras personas en sus propiedades.*
3. *Pagará cualquier daño ocasionado a tu propio automóvil.*
4. *Trabajará especialmente los fines de semana para pagarte lo anterior.*
5. *Servirá como un chofer disponible a cualquier hora para todos los miembros de la casa.*
6. *Conducirá sólo bajo la supervisión de un adulto.*

casa, aunque esto represente incomodidades para el resto de la familia. Es un estado de excepción. Más vale que la familia lo entienda y colabore.

El tiempo que esto dure no es lo importante, lo fundamental es que realice todos las acciones de reparación que a continuación se explicarán para que asuma verdaderamente la responsabilidad.

3. Elaborar con tu hijo(a) una lista de acciones para reparar el daño. Cuando te percates de que realmente ya pudo distinguir que ahora sí estuvo grave lo que hizo, puedes acercarte a hablar con él con el único fin de elaborar conjuntamente una lista de acciones para reparar el daño.

La reparación del daño debe estar vinculada con la acción concreta cometida, clasificada como grave, no con algo que no tiene relación con ella.

Si es muy pequeñito y, por ejemplo, se soltó de tu mano y se atravesó la avenida, la posible reparación no se escribe en una lista pero sí se platica con él y debe quedarle claro que debe ganarse nuevamente tu confianza para salir a la calle sin despegarse de ti ni un instante. En su nivel de madurez y su capacidad de abstracción, sólo podemos pedirle acciones concretas, fácilmente realizables.

Los ejemplos mostrados en la contrapágina pueden darte una idea de que las acciones de reparación están vinculadas con el acto específico; no son castigos que requieran acciones desvinculadas, "pegadas" artificialmente, hay que respetar el hecho de que la responsabilidad se desarrolla gracias a la identificación de causas y efectos en cada situación de la vida.

4. Supervisar estrechamente el cumplimiento de la lista de acciones para reparar el daño.
Simplemente no compres promesas, ni llantos, ni súplicas. **Tu hijo debe actuar, no hablar.** Y no podrá recuperar ningún privilegio, de-

*"El error de golpear a un niño
es la lección que se le enseña".
Métodos indeseables
de enfrentar la frustración:
"cuando estés enojado, golpea".*

—Haim Ginott

*"Sus hijos no deben temerle,
pero tampoco usted a ellos."*

*—Luis Gadea de Nicolás
"Escuela para Padres y Maestros"*

recho o permiso por el simple hecho de haber iniciado las acciones de reparación de la lista. Debe avanzar en ella realmente.

5. Cuando haya avanzado en el cumplimiento de la lista anterior, hay que: **Propiciar su acercamiento para hablar sobre el tema, con el fin de que se exprese y se desahogue emocionalmente.**

A estas alturas, tu hijo(a) debe tener una carga emocional acumulada que le debe molestar, por lo que conviene que hables con él o ella. Este paso debe darse después de que haya avanzado en la lista de reparación del daño, no antes. Mientras no avance en la acción, no debes propiciar mucha comunicación. Una vez que avance en la lista, puedes acercarte y mostrarte receptivo(a) para hablar del tema si el(ella) lo desea.

Es el momento de aplicar la benevolencia. Ya fuiste firme, es tiempo de ser benevolente.

Si no quisiera hablar sobre el tema, déjalo(a) en paz.

Respeta su tiempo y su disposición para hablar. Si te habla sobre ello, limítate a escuchar sin juzgarlo(a), ni calificarlo(a); sólo escucha. Si llora o se desahoga, mejor.

Hablar sobre algo así de grave es terapéutico y le servirá para asimilar la experiencia y superarla. Ya no necesita regaños, sólo desahogarse con alguien que sepa escuchar. Los enjuiciamientos ya no tienen lugar, sólo las aclaraciones.

6. Aclarar que la **conducta consistente** es la que le hará recuperar derechos, privilegios y permisos. No las promesas o conductas esporádicas.

En este paso, tu hijo(a) puede vislumbrar la posibilidad de regresar a la normalidad de su vida. Sólo aclárale que el cambio exigido en su conducta debe ser consistente, es decir, permanente. Acuerda con él o ella la necesidad de que demuestre consistencia en su conducta, más que fijar un plazo de tiempo específico.

LA DIFERENCIA ENTRE LA CULPABILIDAD Y LA POSIBILIDAD DE APRENDER LECCIONES DEL PASADO

"La culpabilidad no es sólo una preocupación por el pasado; es la inmovilización del momento presente en aras de un suceso del pasado.
Y el grado de inmovilización puede abarcar desde una pequeña incomodidad hasta una severa depresión. Si simplemente estás aprendiendo lecciones de tu pasado, y prometiéndote evitar la repetición de algún comportamiento específico, eso no se llama culpa.
Experimentas culpabilidad sólo cuando este sentimiento te impide actuar ahora porque antes te comportaste de cierta manera.
Aprender de tus equivocaciones es una parte sana y necesaria de tu crecimiento y desarrollo.
La culpabilidad es malsana porque gastas inútilmente tu energía en el presente sintiéndote molesto y deprimido a causa de un acontecimiento histórico. Y eso es tan inútil como malsano.
No hay culpabilidad por grande que sea, que pueda resolver un solo problema."

—Wayne Dyer
"Tus Zonas Erróneas"

7. Al terminar la lista de reparación, puede recuperar su vida acostumbrada.

Esto significa que no se le condena "a cadena perpetua", sino que confías en que puede cambiar y ahora sí, recuperar todos sus derechos, privilegios y permisos. Es muy importante que no se utilice más este incidente para presionarlo(a) o regañarlo(a). Ya reparó el daño, ya se acabó. Por salud mental de todos, deben cerrar el ciclo psicológicamente. Es un capítulo terminado, no una experiencia que le hayas de estar restregando en la cara cada vez que te acuerdes.

La reparación del daño es en algunas ocasiones imposible, pero de todas formas deben realizarse acciones simbólicas de reparación para que la persona ofensora pueda rehabilitarse y no cargue a cuestas indefinidamente con el daño cometido. El cierre del ciclo es vital para poder mejorar y evolucionar. Una persona tiene la responsabilidad por su propio futuro, por lo tanto debe aprenderse a cerrar los capítulos del pasado.

Si tu hijo(a) cometió una falta grave, y ya pasó por todos estos pasos, es momento de platicar con él o ella para que procese el hecho de que ya se acabó la experiencia. No insistas más en lo mismo a lo largo del tiempo. Haz punto y aparte.

6.3 • ÁRBOL DE DECISIONES DISCIPLINARIO

Este esquema permite integrar las opciones disponibles de un solo vistazo.

Ante una conducta inaceptable de tu hijo, la que sea, debes hacerte una pregunta clave:

¿Puedo afrontarlo?

Esto significa que te cuestiones sobre tu estado de ánimo, sobre tu capacidad para conservar el control emocional ante dicha conducta inaceptable, cualquiera que ésta sea. No puedes estar siempre listo(a) para responder adecuadamente o por lo menos para controlar tu molestia. Hay ocasiones en las que estás alterado(a) por otras mu-

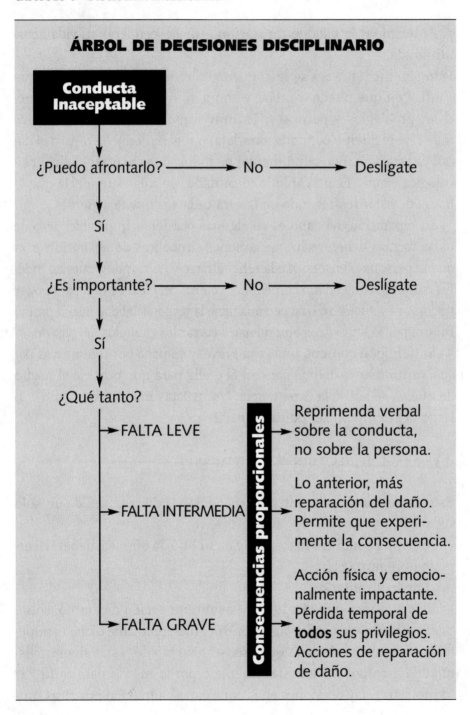

ÁRBOL DE DECISIONES DISCIPLINARIO

Conducta Inaceptable

¿Puedo afrontarlo? ⟶ No ⟶ Deslígate

Sí

¿Es importante? ⟶ No ⟶ Deslígate

Sí

¿Qué tanto?

→ FALTA LEVE

→ FALTA INTERMEDIA

→ FALTA GRAVE

Consecuencias proporcionales

Reprimenda verbal sobre la conducta, no sobre la persona.

Lo anterior, más reparación del daño. Permite que experimente la consecuencia.

Acción física y emocionalmente impactante. Pérdida temporal de **todos** sus privilegios. Acciones de reparación de daño.

chas circunstancias: problemas con la pareja, trastornos físicos, dificultades en el trabajo, etc. y no estás en condiciones de enfrentar adecuadamente a tu hijo portándose mal. Coloquialmente hablando: "traes la mecha corta". Explotas muy rápido.

No te sientas culpable si esto te pasa, simplemente no puedes ser perfecto(a) y estar siempre listo(a). A veces simplemente no se puede. Lo peor es que si lo intentas en dichas condiciones emocionales, el resultado será desastroso pues exagerarás tu reacción y puedes fallar en tus intenciones de manejar una disciplina inteligente. Puedes acabar pegando o gritando por conductas que tal vez no tengan importancia pero que exageras por tu estado de ánimo del momento.

¿Qué hacer en estos casos? Es mejor desligarte de la situación temporalmente. Si sientes que vas a perder el control y a explotar, es preferible que no hagas nada hasta que recuperes el control. Desligarte no significa que no vayas a hacer nada al respecto, significa que **no harás nada mientras no puedas tener el control de tus emociones.** Una vez recuperado el control emocional, entonces puedes seguir adelante con los siguientes pasos. Posiblemente recuperes el control en minutos o tal vez requieras de más tiempo, pero es un hecho que es mejor optar por no volver a los viejos hábitos de gritar o pegar por casi cualquier cosa.

Esta opción es simplemente tu válvula de escape debido a una presión emocional excesiva. Si no puedes controlar tu coraje o continuamente tienes que desligarte, no dudes entonces en buscar asesoría psicológica para desahogar algunas otras tensiones que muy probablemente tengas acumuladas. No le temas a una terapia cuando las situaciones están fuera de control. Es sabio reconocer cuando ya no puedes resolverlas tú solo(a) y buscar asesoría profesional (para manejar tu emotividad incontrolada, no para disciplinar a tu hijo).

No es sensato desahogar tu problemática personal, tus hostilidades, con tus hijos y luego creer que el problema es originado por ellos.

La siguiente pregunta es:

¿Es importante?

SIMPLICIDAD

"Aunque una manera de hacer
las cosas haya perdurado
a lo largo del tiempo,
no quiere decir que sea
la mejor forma o la más sencilla.
Simplemente, quizá sólo signifique
que nadie ha intentado
hallar un modo mejor."

"A veces, nos adaptamos tan bien
a la forma que tenemos de hacer
las cosas, que cualquier cambio
parece impensable."

—Edward de Bono
"La simplicidad"

Es un cuestionamiento útil para ahorrarte complicaciones. Recuerda que los regaños constantes, los gritos, llantos y recriminaciones para intentar controlar la conducta inaceptable de tus hijos ponen innecesariamente en riesgo las relaciones afectivas con ellos, y lo peor es que esto ocurre en muchas ocasiones por verdaderas tonterías o por trivialidades que convendría dejar pasar.

Si regañas sin parar correrás el riesgo de enfrascarte con tu hijo en un círculo vicioso en el que se repetirá constantemente su mal comportamiento; será una historia interminable, pues él estará cobrando revancha comportándose exactamente como más te molesta. Por lo general los niños son ruidosos y latosos, por lo tanto no vale la pena exagerar ante conductas inaceptables que no tengan mayores consecuencias. A veces una sola mirada o una actitud de desaprobación será suficiente; en otras será mejor no hacer nada. Hay niños que son castigados por tocar objetos o por investigar y comportarse de manera inquieta. Recuerda que la curiosidad es una virtud, no un defecto. La tolerancia y la paciencia son la mejor receta. Él debe descubrir el mundo y debe descubrir en sí mismo virtudes y sentimientos de consideración hacia los demás, pero debes darle su tiempo, respetar sus ritmos.

Si respondes negativamente a la pregunta de si una mala conducta que tu hijo ha presentado es importante o no, entonces tu mejor opción es desligarte, dejarla pasar y no hacer nada más.

Si la respuesta es afirmativa, es decir, consideras que sí es importante, entonces el siguiente cuestionamiento es:

¿Qué tanto?

¿Qué tan importante es la conducta inaceptable? Es el momento de aplicar la disciplina inteligente, empezando por determinar la importancia relativa de la falta (ligera, intermedia o grave) y entonces actuar proporcionalmente a ella. Las opciones que tienes para actuar en cada caso se mencionaron en el subcapítulo anterior.

Hacerlo no es tan complicado; lo que pasa es que estamos muy acostumbrados a complicar lo simple. Manténlo simple.

Los 8 rasgos del temperamento

1 ACTIVIDAD: ¿Cuán activa es la persona generalmente, desde muy temprana edad?

2 CONCENTRACIÓN. ¿Con cuánta facilidad se distrae? ¿Puede prestar atención y mantenerla?

3 ADAPTABILIDAD. ¿Cómo reacciona ante las transiciones entre una actividad y otra?

4 ACERCAMIENTO / RETRAIMIENTO INICIAL. ¿Cuál es la reacción **inicial** ante cosas, lugares, personas o situaciones nuevas o desconocidas?

5 INTENSIDAD. ¿Cuán ruidosa es la persona, ya sea en circunstancias de alegría, de dolor físico o de tristeza?

6 REGULARIDAD. ¿Qué tan previsible y regular es la persona en sus horarios de sueño, hambre y funcionamiento intestinal?

7 UMBRAL DE SENSIBILIDAD. ¿Cuál es su respuesta a estímulos sensoriales tales como ruidos, luces fuertes, colores, olores, sabores, dolor, textura de la ropa?

8 ESTADO DE ÁNIMO CRÓNICO. ¿Predominan las emociones positivas o las negativas?

–Stanley Turecki y Leslie Tonner
"El Niño Temperamentalmente Difícil"

6.4 • EL TEMPERAMENTO NO SE DISCIPLINA

Si aplicas cabalmente estas estrategias, estoy seguro de que lograrás mejores resultados y tus hijos tendrán claridad y certeza con respecto a ti y sus valores. Sin embargo, puede ser que las cosas no se hayan corregido para ti y tus hijos. Cabe la posibilidad de que el problema no se deba a aspectos disciplinarios, sino temperamentales, y ante ello la disciplina no funciona; el temperamento se maneja con diferentes técnicas, no con disciplina.

Te recomiendo el excelente libro *"El Niño Temperamentalmente Difícil"* de **Stanley Turecki** y **Leslie Tonner**, para que clarifiques la diferencia. Sin embargo, voy a proporcionarte una síntesis que puede ayudarte en estos casos, sin que esto signifique que dejes de consultar la fuente sobre el particular.

El temperamento es la forma de actuar de una persona, y según los doctores **Thomas**, **Chess** y **Birch** de la Universidad de Nueva York, dicho **temperamento es observable a través de ocho rasgos principales del comportamiento:**

1. **NIVEL DE ACTIVIDAD**
2. **RANGO DE CONCENTRACIÓN**
3. **ADAPTABILIDAD A LOS CAMBIOS**
4. **ACERCAMIENTO / RETRAIMIENTO INICIAL**
5. **INTENSIDAD**
6. **REGULARIDAD DE RITMOS CORPORALES**
7. **UMBRAL DE SENSIBILIDAD**
8. **ESTADO DE ÁNIMO CRÓNICO O HUMOR CRÓNICO**

Si la conducta inaceptable es consecuencia de alguno de estos rasgos, te conviene utilizar técnicas para dichos rasgos. **No intentes disciplinar lo temperamental.** Si la conducta inaceptable **no** es consecuencia de alguno de estos rasgos, debes utilizar una estrategia

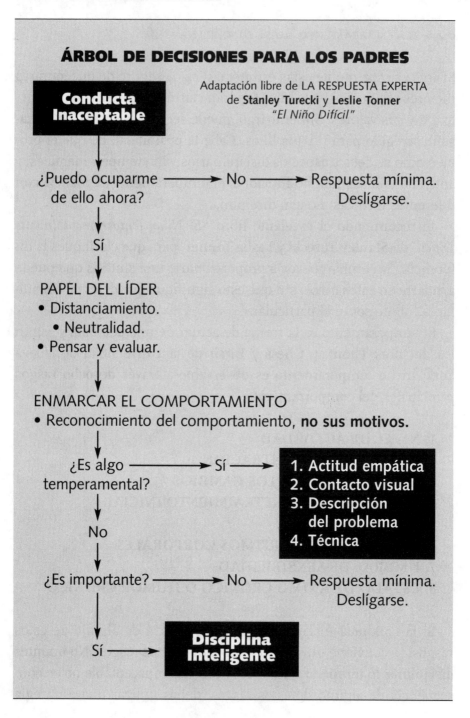

ÁRBOL DE DECISIONES PARA LOS PADRES

Conducta Inaceptable

Adaptación libre de LA RESPUESTA EXPERTA
de **Stanley Turecki** y **Leslie Tonner**
"El Niño Difícil"

¿Puedo ocuparme
de ello ahora? ⟶ No ⟶ Respuesta mínima.
Deslígarse.

Sí

PAPEL DEL LÍDER
• Distanciamiento.
 • Neutralidad.
• Pensar y evaluar.

ENMARCAR EL COMPORTAMIENTO
• Reconocimiento del comportamiento, **no sus motivos.**

¿Es algo
temperamental? ⟶ Sí ⟶
1. **Actitud empática**
2. **Contacto visual**
3. **Descripción**
   del problema
4. **Técnica**

No

¿Es importante? ⟶ No ⟶ Respuesta mínima.
Deslígarse.

Sí ⟶ **Disciplina Inteligente**

disciplinaria. **No intentes utilizar técnicas temperamentales ante situaciones que exigen una estrategia disciplinaria y viceversa.**

Un niño difícil es aquel que a pesar de recibir un trato equilibrado, basado en la disciplina inteligente, por parte de sus padres y maestros, manifiesta un temperamento tal que la convivencia armónica con él es prácticamente imposible.

Aunque este no es el tema del presente libro, al existir la posibilidad de que los problemas en el hogar persistan a pesar de aplicar lo aprendido hasta aquí, creo necesario incluir una síntesis muy breve de dichas técnicas para que el rompecabezas quede completo.

La siguiente información está basada en el libro mencionado anteriormente, así que te recomiendo su estudio cuidadoso.

¿Cómo es alguien típicamente difícil?

1. **ACTIVIDAD.** *"Se mete en todo"*, *"corrió antes de caminar"*, se agita o se *"enloquece"*, pierde el control, no soporta verse limitado.

2. **CONCENTRACIÓN.** Distraído, le cuesta trabajo concentrarse y prestar atención, no escucha y no mira directamente cuando se le habla.

3. **ADAPTABILIDAD.** Tiene dificultad con los cambios de actividad. Se enterca por algo que desea durante horas. Testarudo, tiene preferencias insólitas por alimentos y prendas.

4. **ACERCAMIENTO/RETRAIMIENTO INICIAL.** No le gustan las situaciones diferentes, lugares nuevos, gente desconocida, los alimentos no familiares, la ropa nueva.

5. **INTENSIDAD.** Ruidoso en extremo, en cualquier situación.

6. **IRREGULARIDAD.** Irregular en sus horas de sueño, le da hambre a distintas horas. Es imprevisible.

7. **UMBRAL DE SENSIBILIDAD.** Hipersensible a algún sentido. Sonidos, sabores. La ropa *"tiene que sentirla bien"* ya que ciertas telas le irritan la piel. "Chocante" con la comida. Sobrerreacción al dolor.

8. **HUMOR CRÓNICO.** Crónicamente negativo. Serio, malhumorado, quejumbroso. Poco expresivo incluso cuando está contento.

DIAGNÓSTICO DE GRADO DE DIFICULTAD TEMPERAMENTAL

Puedes hacer una evaluación preliminar identificando el nivel de dificultad de cada rasgo en particular, no debes "diagnosticar" a alguien como difícil en lo general, siempre se debe identificar en qué rasgo específico y en qué medida dicho rasgo es difícil.

1. FÁCIL
2. LIGERAMENTE DIFÍCIL

3. MEDIANAMENTE DIFÍCIL
4. MUY DIFÍCIL

EVALUACIÓN DE _____

RASGO TEMPERAMENTAL	1	2	3	4
1. ACTIVIDAD				
2. CONCENTRACIÓN				
3. ADAPTABILIDAD				
4. ACERCAMIENTO INICIAL				
5. INTENSIDAD				
6. REGULARIDAD				
7. UMBRAL DE SENSIBILIDAD				
8. HUMOR				

Clasificación: _____

EVALUACIÓN DE _____

RASGO TEMPERAMENTAL	1	2	3	4
1. ACTIVIDAD				
2. CONCENTRACIÓN				
3. ADAPTABILIDAD				
4. ACERCAMIENTO INICIAL				
5. INTENSIDAD				
6. REGULARIDAD				
7. UMBRAL DE SENSIBILIDAD				
8. HUMOR				

Clasificación: _____

De acuerdo con el **número de rasgos** que se incluyan en el sector difícil, y en la medida en que el comportamiento resultante se convierta en un problema para los padres, el comportamiento del niño podrá clasificarse así:

A. BÁSICAMENTE FÁCIL PERO CON ALGUNAS CARACTERÍSTICAS DIFÍCILES
Los padres le hacen frente a la situación con éxito pero necesitan algunas técnicas de manejo.

B. DIFÍCIL
El niño es difícil de tratar y hay tensión en los padres y la familia.

C. MUY DIFÍCIL
Tanto la familia, como la pareja y el niño viven bajo mucha presión.

D. IMPOSIBLE
Un "mata madres".

MANEJO TÉCNICO DEL TEMPERAMENTO
(Versión adaptada de Stanley Turecki, Leslie Tonner)

> 1. Actitud empática.
> 2. Contacto visual.
> 3. Descripción del problema.
> 4. Técnica.

PRIMER PASO
ACTITUD EMPÁTICA
Nadie puede ser ayudado con agresión. El primer paso es reconocer que tu hijo tiene un problema cuya solución no está en sus manos; simplemente nació con este rasgo temperamental y lo padece tanto o más que tú. Por lo tanto, el mostrarse tolerante y empático es el punto de partida. No lo acuses o ataques por esto, sólo mantén una actitud de comprensión.

El símbolo maya de la comunicación, ilustra esta conversación que tenemos con nosotros mismos.
En la medida en que el niño reconozca con un nombre su propia conducta, podrá iniciar su proceso de autocontrol.

Algunas sugerencias para describir el problema

• **ACTIVIDAD INCONTROLADA:** "Estás acelerándote" o "estás comenzando a descontrolarte".

• **DISTRACCIÓN:** "A veces te cuesta concentrarte ¿verdad?" o "mira, te estás distrayendo".

• **POCA ADAPTABILIDAD:** "Sé que no te gusta dejar lo que estás haciendo" o "veo que estás muy ocupado".

• **ACCESIBILIDAD INICIAL:** "Entiendo que no te gustan los lugares nuevos" o "sé que a veces te es difícil estar con gente que no conoces".

• **ALTA INTERNSIDAD:** "Sé que tienes una voz muy fuerte y te cuesta hablar más bajo".

• **IRREGUIARIDAD:** "Entiendo que no te da sueño cuando a los demás sí" o "te da hambre a cualquier hora ¿verdad?".

• **BAJO UMBRAL DE SENSIBILIDAD:** "El ruido te molesta mucho ¿verdad?" o "sé que sientes rara la ropa nueva", etc.

SEGUNDO PASO

EL CONTACTO VISUAL

Hay que establecer un contacto visual amigable y tranquilo con el niño para que la comunicación pueda establecerse adecuadamente.

Debes ponerte a su altura visual.

Si el niño no te mira, debes llamar suavemente su atención y lograr el contacto visual. De otra forma lo que hagas a continuación, no tendrá los efectos deseados. No des el siguiente paso sino hasta que hayas establecido contacto visual.

TERCER PASO

DESCRIPCIÓN DEL PROBLEMA

Descríbele al niño su conducta y ponle nombre.

- Ejemplo incorrecto: *"¡Me estás volviendo loca!"*
- **Ejemplo correcto: *"Te estás acelerando".***
- Ejemplo incorrecto: *"¿Por qué nunca me obedeces cuando te digo que hagas algo?"*
- **Ejemplo correcto: *"Veo que estás muy ocupado..."***

Puedes inventar las indicaciones siempre y cuando sean sencillas y amables. Cuando las indiques, tu entonación de voz debe ser tranquila, que no suene acusadora.

En cuanto al Estado de Ánimo negativo, la descripción del problema no es para el niño sino para los padres. Les ayuda a no enojarse con alguien que se queja o está serio durante situaciones que son agradables para otros.

Te sugiero designarlo de esta manera: *"Él (ella) es así, es su propio estado de ánimo"*

CUARTO PASO

LA TÉCNICA

Cada conducta inaceptable que se derive de un rasgo temperamental difícil se abordará con una técnica específica.

Técnicas

ACTIVIDAD INCONTROLADA

- Distracción

- Válvula de escape

- Enfriamento

Con respecto a la actividad incontrolada y a la distracción, cabe hacer la distinción de que cuando son originadas por disfunciones cerebrales diagnosticadas adecuadamente por un neurólogo, estas técnicas pueden complementar las estrategias para su manejo, pero no serán suficientes pues requieren atención médica y terapéutica especializada.

Las siguientes técnicas son alternativas efectivas:

I. NIVEL DE ACTIVIDAD INCONTROLADO (EL DESENFRENO)

El niño empieza por ser activo, se torna excitable, se excede, se desenfrena y pierde el control. No se trata de que creas que alguien tiene este problema sólo porque es muy activo; la clave es la pérdida de control sobre su actividad, el desenfreno. La regla de oro es **intervenir temprano**. Es decir, intervén en el momento que pasa de estar activo a excitable, no esperes a que se exceda o desenfrene para entonces intervenir. Hazlo cuando está haciendo el "cambio de segunda a tercera". Tampoco abuses interviniendo apenas se emociona, eso sería intervenir demasiado pronto. Observa y juzga. Tu intervención tiene como objeto alejar a la persona de la situación.

Ante el desenfreno, tienes tres alternativas:

1.1. **DISTRACCIÓN**. Dirige su atención hacia otra cosa.

1.2. **ENFRIAMIENTO**. Asígnale alguna otra actividad tranquilizadora.

1.3. **VÁLVULA DE ESCAPE**. Desarrolla con él una actividad que le permita descargar parte de su energía.

Si intervienes muy tarde y el desenfreno ya está ocurriendo, lo único que te queda es alejarlo del área.

2. DISTRACCIÓN

Cuando el niño es muy distraído y observas que mientras ejecuta algún trabajo empieza a inquietarse y a distraerse, puedes utilizar las siguientes técnicas:

Técnicas

DISTRACCIÓN {
- Contacto visual
- La pausa

La Pausa

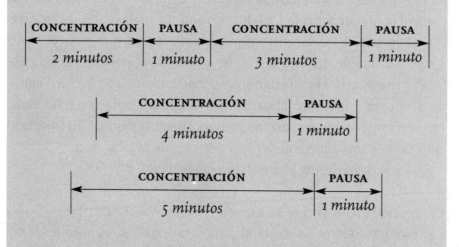

CONCENTRACIÓN	PAUSA	CONCENTRACIÓN	PAUSA
2 minutos	1 minuto	3 minutos	1 minuto

CONCENTRACIÓN	PAUSA
4 minutos	1 minuto

CONCENTRACIÓN	PAUSA
5 minutos	1 minuto

POCA ADAPTABILIDAD Y ACCESIBILIDAD {
Preparación y tiempo para acostumbrarse:
- Secuencia de eventos
- Ritmo de adaptación
- Reloj de cambios

2.1. EL CONTACTO VISUAL. El contacto visual establecido con él desde el primer paso del manejo técnico, es muy eficaz para enfocar su atención momentáneamente. Asegúrate de que está "aquí y ahora" antes de seguir hablando con la pared.

2.2. LA PAUSA. Pídele que realice una determinada actividad, de acuerdo con sus lapsos de concentración, interrúmpelo y dile que "descanse tantito", no permitas que se vaya o se acelere, sólo que "descanse" y te platique de algo diferente durante un minuto, luego pídele que continúe trabajando, vuélvelo a interrumpir después de un lapso de concentración, y que "descanse" de nuevo. Hazlo así aumentando gradualmente el lapso de concentración y conservando el lapso de las pausas.

3. POCA ADAPTABILIDAD
4. ACERCAMIENTO/RETRAIMIENTO INICIAL

Estos rasgos temperamentales tienen en común la intolerancia al cambio, por lo que las técnicas con las que hay que abordarlos son las mismas:

PREPARACIÓN Y TIEMPO PARA ACOSTUMBRARSE:
- Cuando veas que va a ocurrir un cambio de actividad o de entorno, explícale lo que va a suceder en breve. No lo abrumes transmitiéndole ansiedad con advertencias excesivas.
- Explícale la SECUENCIA DE EVENTOS que ocurrirán en breve.
- Respeta su RITMO DE ADAPTACIÓN; no lo presiones excesivamente para que se comporte de acuerdo con tus expectativas de adaptación.
- Puedes usar el RELOJ DE CAMBIOS. Se lo enseñas y le dices que a cierta hora, tendrá que cambiar de actividad.

A las personas poco adaptables no les gustan las sorpresas y esto les da la oportunidad de prepararse para la transición en un período limitado. Se puede utilizar el reloj para todos los cambios importantes de actividad durante el día.

Técnicas

ALTA INTENSIDADAD { Sólo pide que baje el volumen

IRREGULARIDAD {

• Distinguir entre la hora de acostarse y la hora de dormir.

• Distinguir entre la hora de sentarse a la mesa para socializar y la hora de comer

5. ALTA INTENSIDAD

Lamento comunicarte que no hay técnica para la conducta derivada de este rasgo, aunque puedes probar lo siguiente:

5.1. Después de establecer contacto visual y haber nombrado su conducta, pídele por favor que baje la voz (servirá temporalmente).

5.2. Estableciendo contacto visual, hazle una seña para que baje su voz y háblale más quedito.

6. IRREGULARIDAD (IMPREDICIBILIDAD)

Hay que distinguir entre la hora de acostarse y la hora de dormir.

Por otro lado, hay que ayudar al niño a distinguir entre la hora de sentarse a la mesa para compartir y la hora de comer.

Evidentemente, la estructura de horario y los hábitos de alimentación entran en juego aquí, pero cuando la situación va más allá y se debe a un rasgo temperamental difícil, por más que establezcas horarios y supervises que no coma golosinas antes de la comida, de todas formas habrá problemas.

No se puede forzar a alguien que no tenga sueño a tenerlo a la hora en que opinas debe tenerlo. Tal vez se esté durmiendo en clase porque no haya dormido bien la noche anterior debido a su problema temperamental. Puedes decirle que la hora de acostarse llegó aunque no se duerma todavía.

Puede quedarse despierto(a) si gusta, pero sin interrumpir el sueño de los demás. Tampoco puedes forzar el hambre del niño, pero puedes decirle que es la hora de sentarse a la mesa y hacer que permanezca un tiempo razonable en ella, permitiéndole que luego se levante.

Puedes tener a la mano un plato de carnes frías o cosas de fácil preparación para cuando tenga hambre, y que él se prepare su comida sólo. Tampoco se trata de convertirse en un restaurante con servicio las 24 horas del día.

Técnicas

**BAJO UMBRAL
DE SENSIBILIDAD**

- No pongas a prueba su umbral de tolerancia.

- Ofrécele una elección simple.

- Introduce lo nuevo poco a poco.

7. BAJO UMBRAL DE SENSIBILIDAD

Este comportamiento tiene que ver con la sensibilidad extrema al tacto, los sabores, los olores, los sonidos, las temperaturas, las luces o los colores. Aquí también los padres pueden caer en un círculo vicioso.

Su hipersensibilidad sensorial es interpretada como exageración por los adultos que no sufren de dicho problema.

En este aspecto, la descripción del problema (Paso 3) es fundamental como parte del reconocimiento de que el niño no es simplemente rebelde sino que algo le molesta en realidad, debido al rasgo temperamental.

7.1. NO PONGAS A PRUEBA SU UMBRAL DE TOLERANCIA. Réstale importancia al comportamiento que se relacione con este aspecto. Las "manías" del niño se deben a su umbral bajo ¿qué sentido tiene enfadarse por ello? Si tu hijo quiere ponerse diariamente unos pantalones viejos y no quiere usar los nuevos que le compraste ¿vale la pena insistir?

7.2. OFRÉCELE UNA ELECCIÓN SIMPLE. ¿Quieres ponerte la camisa roja o la azul? Decisiones que parecen insignificantes para el adulto pueden ser muy satisfactorias para el niño pequeño. No ofrezcas alternativas muy abiertas como ¿qué quieres de desayunar? Mejor pregunta ¿huevos o cereal? ¿Quieres ir tomado de la mano derecha o de la izquierda? Esta es una buena alternativa cuando es inevitable el asirlo en la calle pero se niega a hacerlo: *"¿me das la mano o te arrastro por la calle?"* En casos extremos.

7.3. INTRODUCE LO NUEVO POCO A POCO. Observa si su conducta cambia al haber mucho ruido y dale tiempo para que se acostumbre gradualmente; observa si es hipersensible a cualquier otro estímulo relacionado con los sentidos y dale su tiempo; recomiéndale, si es hipersensible al tacto, que use ciertas telas que no le molesten o que en lugar de usar calzado con agujetas use otro tipo de zapatos, etc.

Técnicas

HUMOR { Nombra la situación para ti mismo(a): "él (ella) es así, es su forma de manifestar sus sentimientos".

8. HUMOR CRÓNICO

El estado de ánimo es muy variable en todas las personas, sin embargo se puede hablar de un estado de ánimo dominante o crónicamente "serio" en este tipo de niños.

En las personas que tienen problemas con este rasgo temperamental, se manifiesta como un estado de ánimo crónicamente triste o negativo. Tienen una permanente apariencia de "seriedad" incluso cuando el entorno y su circunstancia es festiva. No pueden ser efusivos o expresar su alegría. Dan la impresión de no sentir. El principal problema no es éste, el problema es la cadena de reacciones emocionales que se generan en los que le rodean, al esperar que tenga una emoción más "positiva" y tan solo por manifestar su seriedad o silencio tiende a generar desesperación en sus padres, familiares y conocidos.

8.1. Por principio de cuentas nombra la situación para ti mismo(a) para no enojarte con tu hijo porque no está reaccionando como esperas que lo haga: *"él (ella) es así, es su forma de manifestar sus emociones"*. No confundas el estado de ánimo negativo con una posible depresión. La depresión es una enfermedad con características diferentes. Te recomiendo estudiar al respecto para que puedas distinguir la depresión de un estado de ánimo crónicamente negativo como el aquí descrito.

6.5 · DISCIPLINA INTELIGENTE A PESAR DE LAS CRISIS EN LA PAREJA

Este delicado tema es especialmente importante en la actualidad debido al aumento del número de divorcios.

Los hijos no son balas para herir a tu ex pareja.

Además de la crisis, el sufrimiento y del impacto que por sí mismas producen las crisis y las separaciones, no le agregues la utilización de tus hijos para chantajear, amenazar y herir a tu ex pareja...

*Los hijos no son balas para
herir a tu ex pareja.
Los pleitos entre adultos,
por la causa que sean,
son pleitos entre iguales.
Involucrar a los hijos es
confundirlos y exponerlos a una
situación desventajosa para ellos.
Ellos no tienen tu mismo marco
de referencia, ni tus rencores,
los cuales son exclusivamente
tuyos, no de ellos.*

eso es realmente lamentable y degradante para quien lo hace.

Los pleitos entre adultos, por la razón que sea, son pleitos entre iguales. Involucrar a los hijos es confundirlos más y exponerlos a una situación desventajosa para ellos. Si realmente los amas, no los lastimes más utilizándolos dizque a tu favor.

Debes empezar por no hablar mal de tu ex pareja con ellos. Tus hijos la aman, independientemente de tus problemas con ella.

No importa qué tan mal padre sea; lo aman. Y más aún en el caso de que sea un buen padre o una buena madre; aunque sea una mala pareja, ellos lo(a) aman. Ser padre y ser pareja son roles diferentes.

Si tú les hablas mal de su madre o de su padre, si haces comentarios despectivos, y crees que de esa manera "te los vas a ganar para tu lado", estás profundamente equivocado(a).

Ellos no tienen tu mismo marco de referencia, ni tus rencores, los cuales son exclusivamente tuyos, no de ellos. Al herirlos hablando mal de alguien a quien aman (a pesar tuyo) los perderás más rápido.

Por supuesto, el proceso disciplinario debe ser un tema prioritario en estas circunstancias. La credibilidad es la base del respeto, el cual es el fundamento de la disciplina, por lo que insisto, si tratas de desprestigiar a tu ex pareja, lo que lograrás es la pérdida de credibilidad ante tus hijos.

Si estás viviendo una situación de crisis con tu pareja, ya sea que todavía vivas con él (ella), o que estés separado(a) o incluso ya divorciado(a), por el bien de tus hijos y de ti mismo(a) es importante que puedas hablar con él o ella sobre los valores y las reglas con tus hijos. Culpar no sirve de nada, lo que importa es llegar a acuerdos básicos para que pueda haber consistencia, independientemente de con quien vivan tus hijos.

No te vuelvas el "Santa Claus" culpable, que llena de regalos a sus hijos cuando los ve y los regresa a casa cargados de confusión. Las

"Deberías tener el derecho a ser excluido de toda pelea
entre tus familiares, a no ser tomado como testigo
en las discusiones, a no ser receptáculo
de sus angustias económicas,
a crecer en un ambiente de confianza y seguridad."

"Deberías tener el derecho a ser educado por un padre
y una madre que se rigen por ideas comunes,
habiendo ellos, en la intimidad,
aplanado sus contradicciones."

"Si se divorciaran, deberías tener el derecho
a que no te obliguen a ver a los hombres
con los ojos resentidos de una madre,
ni a las mujeres con los ojos resentidos de un padre."

"Deberías tener el derecho a que no se te arranque
del sitio donde tienes tus amigos, tu escuela,
tus profesores predilectos."

"Deberías tener el derecho a no ser criticado
si eliges un camino que no estaba en los planes
de tus progenitores; amar a quien desees
sin necesidad de aprobación;
y, cuando te sientas capaz,
a abandonar el hogar y partir a vivir tu vida;
a sobrepasar a tus padres,
ir más lejos que ellos,
realizar lo que ellos no pudieron,
vivir más años que ellos."

—Alejandro Jodorowsky
"La Danza de la Realidad"

separaciones y los divorcios son profundamente dolorosos, y el dolor nos hace actuar irracionalmente. Haz tu mejor esfuerzo para que tus hijos no entren en tu pleito y trátalos de acuerdo con los valores prioritarios en los que crees; no rompas el patrón de conducta, no te vuelvas impredecible. No creas que vas a compensar a tus hijos actuando de manera contraria a tus valores sólo porque te saliste de tu casa o se fue de ella tu pareja.

La conducta insana se caracteriza por ser impredecible. Lo que tus hijos necesitan durante esta etapa tan difícil es un poco de estabilidad, de conductas predecibles. Suficiente trabajo les cuesta procesar emocionalmente tanto cambio para, adicionalmente, tener que soportar los pleitos de sus padres y ser utilizados como cartuchos para herir al otro.

Si te sientes muy mal con respecto a tu condición conyugal, es importante que recibas atención profesional y que cierres emocionalmente dicha etapa, para que puedas rehacer tu vida sentimental.

Nuevas parejas

Cuando alguien con hijos establece una nueva relación sentimental, es fundamental tomar precauciones especiales para no herirlos imponiéndoles la presencia de la nueva pareja.

Debe ser un trabajo de adaptación gradual, que respete los tiempos de tolerancia de cada hijo, sin importar que este proceso se lleve, incluso, algunos años.

Con respecto a la disciplina, debe quedar claro que la nueva pareja no tiene por qué educar a tus hijos. Si algo no le parece, invítala a que te lo comunique para que tú tomes las decisiones pertinentes.

Es muy importante prever y llevar a cabo el proceso de unificación de valores prioritarios mencionado en el Capítulo CÓMO EDUCAR EN VALORES a fin de que realmente sepas a qué aspirar con tu nueva pareja tanto en lo que a ti se refiere como con respecto a tus hijos y/o sus hijos.

LAS NUEVAS PAREJAS

En la nueva y compleja sociedad que estamos viviendo, no es raro encontrar familias reconstruidas: "tus hijos, los míos y los nuestros". La relación entre los hijos y la nueva pareja es de vital importancia, por lo que conviene disminuir los riesgos de hacer nuevamente una mala elección de pareja.

Las ex parejas no necesariamente son malas personas, simplemente no eran **tu** pareja. Conviene, entonces, considerar algunos riesgos y no elegir personas con las siguientes características:

• Personalidad adictiva (a substancias, personas o conductas)
• Personalidad explosiva, violenta e irascible.
• Diferencias significativas de edad (más de 20 años puede ser una bomba de tiempo).
• Diferencias de antecedentes religiosos (los valores, rituales y celebraciones diferentes pueden chocar).
• Diferencias significativas de antecedentes socioeconómicos, educativos o incluso étnicos (afectan en hábitos, cultura y valores prioritarios)
• Parientes políticos que se inmiscuyen.
• Ex parejas tóxicas y agresivas.

Salvo la primera, el resto no constituyen diferencias insalvables, pero si existe alguna, pon en ello especial atención para que no se vuelva en tu contra posteriormente. Con el amor que sientes actualmente, no basta. Hay que considerar estos aspectos al elegir a la nueva pareja con la que, en mayor o menor medida, convivirán tus hijos.

Basado en **Barbara De Angelis**
"Are You the One for Me?"

Si la relación se formaliza y llegan a vivir juntos, entonces se deben aplicar los principios planteados a lo largo de este libro. Tal vez tengan que agregar algunos acuerdos sobre quién puede intervenir en la educación de los hijos de quién, aplicando siempre los principios de la disciplina inteligente.

"La familia de la que provienes no es tan importante como la familia que vas a tener."
Ring Lardner

"Todos los animales
son capaces de envejecer.
Crecer es una prerrogativa
del ser humano.
Sólo unos pocos reivindican
ese derecho."

"Hay una gran diferencia
entre madurar y envejecer.
Todo el mundo envejece,
todo el mundo se vuelve viejo,
pero no necesariamente maduro.
El envejecimiento no es algo
que tú haces, sino algo
que sucede físicamente.
La madurez es un crecimiento interior.
La madurez es algo
que tú aportas a la vida,
surge de la conciencia."

—Osho
"Madurez"

Comentario final

Este es el panorama general y cotidiano que se presenta con los niños y adolescentes. No es muy complicado cuando tienes una referencia confiable y sensata basada en la observación y el conocimiento de tus hijos.

No pretendo que encuentres todas las respuestas a los retos que nos presenta cotidianamente la paternidad, pero sí espero que este libro sea un recurso que te saque de muchos apuros o mejor aún, que te evite muchos conflictos y confusiones.

Ser padre o madre, considero que es una de las experiencias de aprendizaje más profundas que alguien puede vivir, pero hay que estar dispuesto a aprender, de otra forma sólo reforzamos ideas fijas y envejecemos, en lugar de aprender.

Como menciona un autor llamado **Osho**, hay una gran diferencia entre crecer y envejecer. Crecer significa aprender; volverse sabio. Envejecer es simplemente aproximarse a la muerte con miedo.

Aprender para enseñar es una misión de vida apasionante que asumo con placer.

Espero contribuir con tu aprendizaje y que establezcas contacto conmigo. Escríbeme tus experiencias. Así generaremos una red de intercambio de información que nos permita actualizarnos y aprender juntos.

Si te interesan las pláticas y talleres sobre este tema, puedo enviarte información; envíame tu dirección de correo electrónico. Si deseas que en la escuela de tus hijos se impartan estas pláticas y talleres, dirigidas tanto a maestros como a padres de familia, e incluso programas para alumnos, envíame tus datos para contactarnos.

Visita la página electrónica

escuelaparapadres.com ®

Los hijos de hoy necesitan padres de hoy.®

en la cual encontrarás información abundante sobre lo que te interesa como madre o padre comprometido(a) y con deseos de crecer. Puedes contactarme directamente en el correo electrónico *vidal@escuelaparapadres.com* Te deseo lo mejor.

VIDAL SCHMILL

"...que lo humano reconozca a lo humano
y se reconozca en lo humano,
que la libertad oriente la vida y que la vida
—la buena vida, no el puro fenómeno biológico—
señale los límites debidos a la libertad".

—**Fernando Savater**
"El Contenido de la Felicidad"

Recomendación de lecturas interesantes y fuentes consultadas

ADICCIONES

Beatty, Melody
"Ya no Seas Codependiente"
Editorial Patria (Promexa), 18ª reimpresión, 2001, México.

Black, Claudia
"Eso no me Sucederá"
Árbol Editorial, 1ª Reimpresión, 2002, México.

Brailowsky, Simón
"Las Sustancias de los Sueños"
Fondo de Cultura Económica,
La Ciencia para Todos / 130,
1ª reimpresión, 1999, México.

Nakken, Craig
"La Personalidad Adictiva"
Grupo Editorial Diana, 1999. México.

Twerski, Abraham J.
"El Pensamiento Adictivo"
Editorial Patria (Promexa), 1ª Edición, 1999, México.

Velasco Fernández, Rafael
"Esa Enfermedad Llamada Alcoholismo"
Editorial Trillas., 13ª Reimpresión, 1999, México.

ANÁLISIS

Frankl, Víctor E.
"El Hombre en Busca de Sentido"
Herder, 19ª Edición, 1998, España.

Fromm, Erich
"El Arte de Amar"
Editorial Paidós, 8ª Reimpresión, 1987, México.

Fromm, Erich
"La Revolución de la Esperanza"
Fondo de Cultura Económica, 11ª Reimpresión, 1998, México.

Fromm, Erich
"Tener o Ser"
Fondo de Cultura Económica, 4ª Reimpresión, 1992, México.

Kuhn, T.S.
"La Estructura de las Revoluciones Científicas"
Fondo de Cultura Económica, 17ª Reimpresión, 2001, México.

Laing, R.D.
"El Cuestionamiento de la Familia"
Ediciones Paidós, 3ª Reimpresión, 1986, España.

Palomares, Agustín
"Niños Maltratados"
Editores Mexicanos Unidos, 3ª Edición, 1983, México.

Toffler, Alvin
"La Tercera Ola"
Edivisión Compañía Editorial., 14ª Impresión, 1991, México.

AUTOAYUDA

Branden, Nathaniel
"El Poder de la Autoestima"
Editorial Paidós Mexicana, 1998, México.

De Angelis, Barbara
"Are You the One for Me?"
Island Books. Dell Publishing, 1993.
United States of America.

Dyer, Wayne W.
"La Sabiduría de Todos los Tiempos"
Grijalbo Mondadori, 1ª Edición, 1999, España.

Dyer, Wayne W.
"Tus Zonas Erróneas"
Editorial Grijalbo, 1978, México.

Silberman, Mel
"Inteligencia Interpersonal"
Editorial Paidós, 2001, España.

COMPORTAMIENTO Y DESARROLLO

Borbolla de Niño de Rivera, Julia
"Divorcitis"
Editorial Diana, 1ª Edición, 2001, México.

Deskin, Gerald / Steckler, Greg
"Respuestas Para Todas las Preguntas que nos Hacemos los Padres"
Longseller, 2001, Argentina.

Escalante de la Hidalga, Francisco / López Orozco, Rocío
"Comportamientos Preocupantes en Niños y Adolescentes"
Asesor Pedagógico., 2ª Edición, 2002, México.

Faber, Adele / Mazlish, Elaine
"Cómo Hablar Para que los Niños Escuchen
y Cómo Escuchar Para que los Niños Hablen"
Grupo Editorial Diana (Edivisión), 20ª Impresión, 2001, México.

Gadea de Nicolás, Luis
"Escuela para Padres y Maestros"
1ª Edición, 1992, México.

Gesell, Arnold
"El Niño de 1 a 4 Años",
"El Niño de 5 y 6 Años",
"El Niño de 7 y 8 Años",
"El Niño de 9 y 10 Años",
"El Niño de 11 y 12 Años"
"El Niño de 13 y 14 Años"
"El Adolescente de 15 y 16 Años"
Guías para padres – Serie Gesell
Ediciones Paidós, 1ª Edición en Guías para Padres, 2000, México, 2001.

Hart, Archibald D.
"Hijos con Estrés"
Grupo Editorial Ceac, Libros Cúpula, 1994, España.

Renshaw Joslin, Karen
"El Padre Competente de la A a la Z"
Ediciones Médici, 1996, España.

Turecki, Stanley / Tonner, Leslie
"El niño difícil"
Ediciones Médici, 1ª Reimpresión, 1999, España.

FILOSOFÍA

de Botton, Alain
"Las Consolaciones de la Filosofía"
Punto de Lectura, 2002, España.

"Einstein entre comillas"
Grupo Editorial Norma, 1ª Reimpresión, 1998, Colombia.

Jodorowsky, Alejandro
"La Danza de la Realidad"
Editorial Grijalbo. Mondadori. 2001, México.

Osho
"Madurez"
Editorial Debate, 1ª Edición, 2001, España.

Marinoff, Lou
"Más Platón y Menos Prozac"
Punto de Lectura, 6ª Edición, 2002, España.

Savater, Fernando
"El Contenido de la Felicidad"
Punto de Lectura, 1996, España.

Schmill, Ulises
"La Conducta del Jabalí"
Universidad Nacional Autónoma de México,
1ª Edición, 1983, México.

Schopenhauer Arturo
"El Arte del Buen Vivir"
Editorial EDAF, 1983, España.

Schopenhauer, Arturo
"La Moral"
Alamah Clásicos, 1ª Edición, 2002, México.

FILOSOFÍA EDUCATIVA

"El Arte de Educar"
Alamah Clásicos, 1ª Edición, 2002, México.

Barylko, Jaime
"El Miedo a los Hijos"
Emecé Editores , 8ª Impresión. 1993, Argentina.

Casares Arrangoiz, David
"Líderes y Educadores"
Universidad del Valle de México. Fondo de Cultura Económica,
3ª Reimpresión, 2001, México.

Neill, A.S.
"Sumerhill"
Fondo de Cultura Económica, 11ª Reimpresión, 1983, México.

Neill, A.S.
"Corazones, no Sólo Cabezas en la Escuela"
Editores Mexicanos Unidos, 4ª Edición 1981, México.

Rich Harris, Judith
"El Mito de la Educación"
Editorial Grijalbo (Grijalbo Mondadori), 1ª Edición, 1999, España.

Savater, Fernando
"El Valor de Educar"
Editorial Planeta Mexicana. Editorial Ariel, 10ª Reimpresión. 2001, México.

HABILIDADES DEL PENSAMIENTO

Buzan, Tony
"El Libro de los Mapas Mentales"
Ediciones Urano, 1996, Barcelona, España.

De Bono, Edward
"Cómo Enseñar a Pensar a tu Hijo"
Editorial Paidós, 1ª Edición, 1994, España.

De Bono, Edward
"Simplicidad"
Editorial Paidós Mexicana, 2000, México.

Dryden, Gordon / Vos, Jeannette
"La Revolución del Aprendizaje"
Grupo Editorial Tomo, 1ª Edición, 2002, México.

Gardner, Howard
"Estructuras de la Mente"
Fondo de Cultura Económica, 3ª Reimpresión, 2001, México.

Gardner, Howard
"Inteligencias Múltiples"
Ediciones Paidós, 1995, España.

Ibarra, Luz María
"Aprende Mejor con Gimnasia Cerebral"
Garnik Ediciones, 1997, México.

Puente Ferreras, Aníbal
"El Cerebro Creador"
Alianza Editorial, 1999, España.

SEXUALIDAD

Carrera, Michael
"Sexo"
Editorial Folio, 1ª Edición, 1981, España.

López Ibor, J.J.
"Biblioteca Básica de la Educación Sexual / La Sexualidad Hoy"
Editorial Universo, 1ª edición, 1983, México.

López Ibor, J.J.
"Biblioteca Básica de la Educación Sexual /
Evolución de la Sexualidad Infantil"
Editorial Universo, 1ª edición, 1983, México.

Masters, William H. / Johnson, Virginia E. / Kolodny, Robert C.
"La Sexualidad Humana"
Editorial Grijalvo, 10ª Edición,1987, España.

Moir, Anne / Jessel, David
"Sexo y Cerebro"
Editorial Diana, 1ª Edición, 1994, México.

VALORES

"La Responsabilidad"
Aula XXI / Santillana, España.

Eyre, Linda y Richard
"Valores Morales"
Atlántida / Océano, 1ª Reimpresión, 1999, México.

Guerrero Neaves, Sanjuanita
"Desarrollo de Valores"
Ediciones Castillo, 1ª Edición, 1998, México.

Herrera González, Rosa M.
"La Didáctica de los Valores"
Ediciones Castillo, 1ª Edición, 1998, México.

Lewis, Hunter
"La Cuestión de los Valores Humanos"
Gedisa Editorial, 1ª Edición, 1994, España.

López de Llergo, Ana Teresa
"Educación en Valores, Educación en Virtudes"
Compañía Editorial Continental, 1ª Edición, 2001, México.

López de Llergo, Ana Teresa
"Valores, Valoraciones y Virtudes"
Compañía Editorial Continental, 1ª Edición, 2001, México.

Mora G., Guillermo E.
"Etica y Autonomía"
Mc Graw Hill, 2001, Colombia.

Ortega Ruiz, Pedro / Mínguez Vallejos, Ramón
"Los valores en la educación"
Editorial Ariel., 1ª Edición, 2001, España.

Piastro, Julieta
"Educar Niños Responsables"
RBA Libros / Editorial Océano, 1ª Edición, 2001, México.

Savater, Fernando
"Ética para Amador"
Editorial Planeta Mexicana. Editorial Ariel, 24ª Reimpresión. 1997, México.

Índice analítico

Índice de citas y autores

LA PUBLICACIÓN DE ESTA OBRA LA REALIZÓ
PRODUCCIONES EDUCACIÓN APLICADA
S. DE R.L. DE C.V.

•

PARA LA COMPOSICIÓN DE TEXTO
SE USARON LOS TIPOS *SCALA*,
DISEÑADO POR MARTIN MAJOOR
Y *SYNTAX*, DISEÑADO POR HANS EDUARD MEIER.
PARA LA COMPOSICIÓN DE LAS CITAS SE USARON LAS FUENTES
ARCANA, INTEGRA, ORGANICA, REGIA & RONDANA,
DISEÑADAS POR GABRIEL MARTÍNEZ MEAVE;
BIBLON, SOLPERA & SPLENDID,
DISEÑADAS POR FRANTIŠEK ŠTORM,
INTERSTATE, DISEÑADA POR TOBIAS FRÈRE-JONES
Y *TRAJAN,* DISEÑADA POR CAROL TWOMBLY.

•

SE TERMINÓ DE IMPRIMIR EN JUNIO DE 2007
EN LOS TALLERES DE LUMINANZA, S.A. DE C.V.
NICOLÁS BRAVO NORTE 714-A,
COLONIA SANTA BÁRBARA
C.P. 50050, TOLUCA,
ESTADO DE MÉXICO,
MÉXICO.

•